Y0-BWW-791

МИХАИЛ
МАРТ

МИХАИЛ МАРТ

ГЛУХАЯ ПОРА ЛИСТОПАДА

АСТ
Москва

УДК 821.161.1-31
ББК 84(2Рос=Рус)6-44
М29

Оформление:
Яна Половцева

Март, Михаил

М29 Глухая пора листопада: [сборник] / Михаил Март. — Москва: АСТ, 2014. — 318, [2] с. — (Мэтр криминального романа).

ISBN 978-5-17-083060-2

Смерть всегда трагична! Молодая женщина умирает от сердечного приступа. Таков диагноз медиков. Вопрос закрыт. Но похороны не состоялись. Труп исчез. Муж покойной в панике. Следствие началось.

На более чем странное дело ставят опытного следователя. Но чем больше он вникает в детали истории, тем сложнее распутывается клубок. Все подозреваемые имеют железное алиби. Сыщик приходит к выводу, что медики ошиблись. Речь идет об убийстве. Его подозрения подтверждаются. Реальность открывает перед следствием картину страшного, коварного преступления.

УДК 821.161.1-31
ББК 84(2Рос=Рус)6-44

ISBN 978-985-18-3261-9
(ООО «Харвест»)

Глухая пора листопада

История десятилетней давности

1

Если того требовали обстоятельства, то я мог и по морде врезать. Это ничего, что я не выглядел атлетом, а, скорее, походил на хлюпика и маменькиного сыночка. Удар у меня был крепким, и сам умел держать удар. Рос в Москве, на Чистых прудах, и якшался с отъявленной шпаной. Они меня всему научили. И мне нравилось чувствовать себя героем. Среди команды я был самым младшим. Так они меня специально подсылали к ребятам, которых хотели поколотить. Я внаглую придирался к сильным, получал по шапке, и тут вмешивались мои дружки: «Ах, гады, слабых бьете?»

Тогда-то и начиналось главное действо. Били их жестоко, иногда дело до больницы доходило. Вот такие уроки я получал в десятилетнем возрасте.

Из моей тогдашней компании в тюрьме побывали все, кроме меня. Мало кто из них остался в живых. Последнего пристрелили при попытке к бегству из зоны.

Мне же по жизни везло. Семья хорошая, родители влиятельные, после школы в университет поступил и окончил с отличием. Родители и не подозревали, чем я занимаюсь вечерами с местным отребьем. Для них я был в Доме пионеров. Посещал кружки по химии и рисованию. Врал я убедительно. Предки верили. Да и выглядел я как ангел. А то, что в моей душе черт поселился, они не догадывались.

Сюда я сам напросился. Мог бы и в Москве остаться с папашкиными связями, но, получив диплом, тут же упорхнул из семейного гнездышка. Не мог выносить родительской опеки. Воли хотелось. Душа свободы требовала. Тем более что здесь новый институт открылся с большими перспективами. Одно из первых частных заведений, где требовались таланты, а не протекции. Вот я и рванул в неизвестность, словно в омут нырнул. И на этом все радости жизни для меня закончились. Но, кажется, я отвлекся.

Сидел я в баре и тихо пил свою водку из графинчика. Легкий дымный натюрморт, все вокруг тихо и плавно. Скорее всего, мне это казалось. Просто я не слышал шума, не видел суеты, не замечал пьяных. Полное отсутствие присутствия. Со мной такое часто случается. Я жил в себе, в своем мире, и меня мало интересовала действительность. Монотонность бытия меня убивала. Даже водка уже не спасала.

Тут все и произошло. Я даже не понял, что случилось. Столика через три от меня мужик съездил по лицу женщине, сидящей с ним за одним столиком. Похоже, они тоже пили. Чем-то она ему не угодила. Но разве можно так бить женщину? Бедняжка упала вместе со стулом и растянулась на полу с разбитой губой и кровавым носом.

Я заскрипел зубами. Надо бы выпустить пар. Накопилось. Можно сказать, что я даже не думал. Сработал рефлекс. Я подлетел к сидящему обидчику и врезал ему кулаком по морде. Красиво получилось. Главное, что успел. Если бы он сделал со мной то же самое, то мне не поздоровилось бы. Мужик раза в три превосходил меня по своим габаритам. Теперь и его стул был опрокинут, а он сам валялся на полу. Главное — не останавливаться. Иначе все перерастет в банальную драку. Вряд ли я выйду из нее победителем. Я схватил со стола бутылку с вином и разбил ее об угол стола. В моих руках осталось горлышко с острыми осколками. Я поставил ногу в мексиканских сапогах на горло лежащего и придавил его к полу.

— Не рыпайся, гнида, рожу разрисую.

Осколок в руке выглядел убедительно. Никто с места не сдвинулся. Вот тут наступила настоящая тишина. Даже бармены застыли за стойками.

— Женщин бить запрещено даже в этом гадюшнике! — крикнул я осипшим голосом.

Ответа не последовало.

Наконец-то во мне черт проснулся. Но такие паузы длятся недолго, и я хорошо знал, что за этим последует. Надо было уносить ноги.

Я резко перешел на другую сторону стола, схватил за руку женщину, поднял ее на ноги и подтолкнул к двери. Осколок выставил вперед, если кто задумает вмешаться.

Дамочка оказалась сообразительной, сумев врубиться в ситуацию. Мы вышли на улицу. Шел настоящий ливень, в считаные секунды мы промокли насквозь. Правда, этих секунд хватило, чтобы добежать до моей машины. Я ее открыл и приказал даме садиться.

Она послушно села на переднее сиденье. Я нырнул за руль и завел движок.

Через пару минут мы уже ехали по пустынным улицам города.

— Куда тебя отвезти? — спросил я.

— Без разницы. У меня нет своего дома.

Честно говоря, меня не интересовал ее ответ. Я ехал к себе домой. Все, что я заслужил за свой труд, так это паршивую однокомнатную квартиру, да и ту на окраине. Я даже мебель в нее не стал покупать, а пользовался барахлом, выброшенным за ненадобностью. Больше всего мне повезло с кроватью. Правда, она полкомнаты занимала, но я редко бывал дома и появлялся там, когда нужно было выспаться. Тут кровать и требовалась.

Приехали мы быстро.

— Можешь зайти ко мне, умыться и обсохнуть. Для ночных прогулок погода неподходящая.

— Спасибо. Потребуешь от меня благодарности?

— Ничего мне от тебя не надо. Баб я не бью, даже если пьем вместе. Водка в доме есть. Она греет лучше, чем женщины. И от простуды спасает.

— Последний аргумент самый убедительный.

Мы вышли из машины и добежали до подъезда. Моя квартира находилась на втором этаже. В ней стоял устойчивый запах затхлости. Дня три я не открывал окна.

— Ванная — первая дверь слева. Умойся. У тебя вся морда в кровищи. А я пока закуску найду. Но у меня только консервы.

— Не имеет значения.

Она скрылась за дверью ванной. Честно говоря, я даже не разглядывал ее. Но когда она вышла, то меня дрожь проняла. Начать надо с того, что гостья напялила мою рубашку и, судя по всему, под ней ничего не было, но длины рубашки хватило, чтобы прикрыть самые интересные места. В первую очередь меня поразили ее ноги. Такие можно только на картинках увидеть. Ни одного изъяна. Придраться невозможно. Я глянул на ее лицо. Что могла делать такая красавица в поганом кабаке с вонючим мужиком с помойки?

— Рот закрой, — тихо сказал она.

Девушка откинула назад шикарную копну волос, и они легли на ее плечи. Это были пышные темно-рыжие волосы, очень густые и длинные. В сочетании со светло-зелеными глазами и бледным лицом все вместе походило на небрежные мазки художника, умеющего безукоризненно подбирать цвета и сочетать их.

Она села на пол, где сидел и я на грязном ковре, и разлила водку по граненым стаканам. Эта женщина знала себе цену и понимала мужчин, которые пялятся на нее.

— Кто тебя затащил в эту вонючую шарагу?

— Давай согреемся. — Она залпом выпила стакан водки, будто в него налили ароматного сока.

Я сделал то же самое. Эта история походила на какой-то розыгрыш и от нее веяло фальшивкой. Теперь мне уже казалось, что я видел эту женщину раньше. Не мог понять, где и когда, но я не мистик, и видения ко мне не приходят.

— Не заморачивай себе голову всякой ерундой, — сказала она.

— Так, обычное любопытство.

— Никакой романтики. Поругалась с мужем и ушла из дома. Даже сумочку с деньгами и ключами забыла. А тут еще ливень начался. Какой-то хмырь остановился. Предложил подвезти. Я согласилась. Башка ничего не соображала. Хотела поехать к подруге. Этот тип остановился у той забегаловки. Предложил выпить. Мол, куда торопиться. И опять я согласилась. О последствиях не подумала. Вошли, сели, выпили. Мне даже легче стало. Решила вернуться домой. Вот тут этот псих взбеленился. Пошел трехэтажный мат. Я попыталась убежать от него, ну а результат ты видел.

— Рисковая ты девушка. На ночь глядя уходить из дома...

— У меня машина есть. И зонт тоже. Психанула, дверью хлопнула. Муж даже с места не двинулся. Был уверен, что я вернусь через пять минут. Куда же я денусь без него? Наглец! Я же иждивенка! Домашняя болонка. У него на шее сижу. Работать он мне не дает. А ведь это я из него человека сделала. Он до сих пор без моих консультаций палец о палец не ударит. А сам, поганец, со своей секретаршей спит. Урод! Убила бы, да тюрьмы боюсь.

Теперь я ее узнал. Точнее, вычислил. Я уже понял, чья она жена. Пришлось еще раз разлить водку.

— Хватит о быте. Давай выпьем за знакомство. Меня зовут Андрей.

— Ляля.

— Ляля? Это Ольга, что ли?

— Нет, Лена. Только для всех я Лялька. А когда-то меня по имени-отчеству величали.

Она здорово опьянела. Взгляд стал мутным, но, кажется, ее ничего не волновало. Вот только смотреть на меня стала чаще и не отводила глаз в сторону, как это делала в первые минуты. Похоже, красавица перешагнула через запретную черту. Скорее всего, умышленно или от злости. Я едва себя сдерживал. Соблазн был слишком велик, сердце по ребрам стучало так, словно его подменили на кувалду.

— Ты думаешь, я к тебе навечно пришла? Хотелось бы, но ничего не получится. Так пользуйся, пока есть такая возможность.

Меня словно с цепи сорвало. Мы вели себя как два изголодавшихся зверя. Даже до кровати не дошли. Давно я себя так не вел. Чувства плескались через край, а главное — в ответ я получал ту же сумасшедшую страсть. Мы стали одним целым, превратившись в огненный клубок.

Сумасшествие кончилось под утро, и я уснул у нее на груди. Хуже всего было просыпаться. За окном уже было светло. Выглянуло солнышко. Рядом никого. Хотелось завыть. Пожалуй, первый раз в жизни я понял, что значит одиночество в чистом виде. Пока я дрых, она тихо ушла. Возможно, сожалея о случившемся. Конечно, я могу ее найти. Но что я услышу в свой адрес? А может, она и вовсе не вспомнит меня. Кто я такой? Винтик в механизме ее мужа. Моего шефа, директора и собственника НИИ имени Менделеева — Зиновия Карловича Подрезкова. Он носил фамилию жены, так как своя его не устраивала. Не все были готовы иметь дело с Гольдштейном. Жену шефа звали Леной. Тут все совпадало.

Было и еще одно совпадение. Я спал с его секретаршей Оксаной. Оказывается, не я один. Оксана обслуживала и своего шефа. Это закономерно, а я для нее стал мальчиком для удовольствия. Всех все устраивало. Конечно же, Зяма, как мы называли шефа, подробностей не знал. На деле же я жил у Оксаны (шеф ей купил хорошую квартирку) и в свой клоповник заходил редко. Только в те дни, когда Зяма наезжал к Оксане. Милая бабенка, она меня понимала, лелеяла, докладывала о положении дел в институте. Все в одном флаконе. Но главное — Оксана от меня ничего не требовала. Похоже, ее тоже устраивало положение дел.

Представим себе, будто Лена знала о муже и Оксане. Тогда почему терпела? Или ее тоже все устраивало? Но если раньше я был любовником секретарши шефа, то теперь стал любовником его жены. Явный перебор. К тому же Зяма ко мне хорошо относился. Я талантливый, молчаливый, не требовательный и исполнительный. Остальное ему знать ни к чему. Он как был лохом, так им и останется. Я ведь тоже никому ничем не обязан. Все прекрасно. Всё, кроме одного. Я влюбился. Может, пройдет? Хотелось бы. Но стоило мне о ней подумать, как все тело покрывалось по́том. Я все еще валялся на полу, и у меня болели кости. Не хватало сил встать.

Я уже знал, что буду делать. Поеду к Лене. Тут и к гадалке не ходи. Почему вчера я поперся в этот бар? Потому что сегодня утром Оксана уезжает с Зямой на три дня в Омск. Он всегда ее таскает по командировкам. Даже живут в одном номере. Эдакий живчик. А ведь Зяме за полтинник. Юбилей года два назад отмечали. Но главное не это, а то, что Зяма вернется только через три дня. А значит, Лена могла спокойно вернуться домой. Я знал, где живет мой шеф. Шикарный дом он построил на берегу реки, рядом с городской чертой. У него в кабинете долгое время стоял макет особняка в разрезе. Я даже знал расположение всех комнат. Зяма — кошмарный хвастун. Дураку гора денег с неба упала, и он долго привыкал к статусу миллионера. Только теперь немного притих, а так, как несушка, кудахтал на всех углах о своем благополучии. Мерзкий тип. Я всегда над ним смеялся, но сейчас меня одолевала черная зависть. За что этому идиоту досталось столько счастья? Мне двадцать семь лет, я талантливый ученый, а живу как бомж.

Вот только почему-то раньше я об этом не думал. То ли плюнул на все, то ли меня устраивало всё это убожество. Обычное животное. Кормили хорошо, женщину на ночь клали в постель. Денег на модную одежду хватало, дети под носом не визжали. От работы получал удовольствие. Иногда на нервы действовала хреновая машина и тоску вызывал клоповник, в который приходилось время от времени приходить, а так ничего. Вот только раньше я думал, что все еще впереди. Мне лишь двадцать семь лет. А сейчас я с ужасом думал, что мне уже двадцать семь. А что я видел? Кафельные стены лаборатории, округлую попку Оксаны? Что еще? Пусто!

Я стал злиться и действовать сам себе на нервы. Пришлось подняться с пола и пойти в ванную. Я принял душ, надел хороший костюм и вышел на улицу. Никаких мыслей. Я знал, куда поеду и даже не спорил с собой. Пустое занятие. Когда во мне просыпается черт, я с ним не спорю, а лишь выполняю его приказы.

Машина ехала сама, будто я ею не управлял. На работу сегодня уже не попаду. Плевать! Ко мне никто не придерется. Хочу приду, хочу не приду. Мелочи. Весь институт знает, что я ухожу из здания позже всех, иногда и до ночи сижу. А увлекаясь, и про обед забываю. Лаборантки лишь пирожки из столовой приносят. Одна из них очень хорошенькая. Все на пикник меня зовет. Знаю я эти пикники. Не против. Но никак времени не найду. Почему Оксана может жить с двумя мужчинами сразу, а я не могу погулять на стороне? Леньматушка мешает. Но этой ночью в моем сознании что-то перевернулось. Скорее всего, я ожил после долгой спячки. Нет, эту ночь я вычеркнуть не могу. И не хочу.

Я нашел Елену в саду. Она сидела в глубоком шезлонге, накрывшись пледом, а по земле кружились осыпавшиеся желтые и красные листья. Я остановился и смотрел на нее, не отрываясь, словно утолял жажду. Такой источник не выпьешь. Я терпеть не мог измусоленного слова «любовь». Никогда его не произносил. Бабье словечко. Они им умеют манипулировать. У меня опять заколотилось сердце. Во мне происходили непонятные процессы. Я перерождался. Скоро из куколки появится бабочка, у меня вырастут крылья, и я полечу.

Внезапно Елена открыла глаза и увидела меня прямо перед собой, но на ее лице не дрогнул ни один мускул. Так она смотрела целую вечность, потом сбросила плед на траву, встала и обняла меня за шею. Ее губы обожгли мне рот. Она все еще горела. Я обнял ее и прижал к груди. Сумасшедшее блаженство. Кто этого не чувствовал, тот не жил.

Внезапно она вздрогнула и резко отпрянула.

— Черт, это не сон!

Она укусила себя за руку.

— Ты ушла не простившись. Что-то не так?

— Бог мой! Значит, все это было на самом деле?

— И что тебя удивляет? Наша встреча была неизбежной. Чуть раньше, чуть позже. Нас судьба свела.

Неожиданно она начала меня бить. Кулачки ее были слабенькими, и я лишь удовольствие получал от ее огненного темперамента, а потом обхватил руками, прижал к себе и начал целовать. Она не сопротивлялась. Она плакала. Ее лицо стало мокрым от слез.

— Уходи, — прошептала она. — Уходи! Я не должна тебя видеть. Тебя нет. И никогда не было.

— Ты выйдешь за меня замуж? — задал я самый глупый вопрос в своей жизни.

— Ты сумасшедший. И я от тебя заразилась. Мы оба психи. Наша связь сведет нас в могилу. Я знаю, о чем говорю. Безумство не остается незамеченным. Нас живьем закопают. На этом все кончится. Счастливые концы только в романах бывают. Жизнь черная и дождливая. Я не могу тебе дать того, чего ты хочешь.

— Ты выйдешь за меня замуж? — повторил я вопрос.

— На этом свете вряд ли. Там, на небесах, возможно. Когда станем свободными.

— Мы еще и на земле поживем в свое удовольствие. Я тоже знаю, о чем говорю. Мне нужно лишь твое согласие.

— С тобой я и в пропасть готова прыгнуть.

Я все еще прижимал ее к себе и чувствовал, как она горит. Это не притворство. Пора поверить в мифическую судьбу. Вдруг Елена словно протрезвела, оттолкнула меня и побежала к дому.

Я остался один среди яблонь и рассыпанных по земле плодов. Мне очень не хотелось уходить. Но она не вернется. Ее сковывает страх. Она им как цепями опутана. Мы в неравном положении. Это мне все нипочем. Живу, как хочу. Море по колено. Я никогда не ставил себя на чье-то место. Потому что мне плевать на других. На всех без исключения. Теперь придется примерить на себя чужую шкуру. Очень близкую мне шкуру и очень ценную для меня.

Решение выносил за меня черт, сидящий где-то в тихом уголке моей души. Он всегда находит ответы на все вопросы, которые невозможно решить трезвым умом.

Я направился к воротам и спокойно вышел на улицу. Сторож не обратил на меня внимания. Когда я заходил, показал ему коробку, завернутую в газету. В ней ничего не было. Представился курьером интернет-магазина и добавил, что несу заказ Елене Подрезковой. Меня пропустили. То же самое я сказал и горничной, открывшей мне дверь особняка. От предложения оставить заказ я отказался. Мол, подпись заказчика нужна. Она и направила меня в сад, где я нашел свое сокровище. Вряд ли все остальное кто-то видел в окна. Ветви деревьев были еще густо усыпаны листьями.

Я сел в свой тарантас и поехал домой к Оксане. Соседям я уже примелькался, ко мне привыкли и даже здоровались со мной. Я всегда со всеми поддерживаю хорошие отношения. Милый, очень обаятельный, а по словам Оксаны, даже красивый и к тому же очень воспитанный молодой человек. С начальством не спорю, но делаю то и так, как считаю нужным. Мало того, у меня все получается. Башка варит хорошо. Мог бы докторскую написать. Но лень.

В квартире Оксаны меня интересовали лишь ключи. Связку ключей от кабинета Зямы, его сейфа и стола она не стала бы брать с собой в Омск. Зачем ненужную тяжесть таскать? Вот только такие мелочи меня никогда не интересовали, и я не знал, где она хранит их. Надо лишь понимать, что все нужное должно быть всегда под рукой. Да и прятать ей не от кого. Я знал, где лежат ее деньги и золотишко, но блеск побрякушек, которыми одаривал ее Зяма, меня вовсе не интересовал. Своих денег хватало.

Все правильно. Ключи я нашел за пять минут. Они лежали в шкатулке на тумбочке возле кровати. Остальное я найду на месте. Чуть позже. Сейчас главное — не суетиться. Во всем нужна размеренность.

На работу я приехал во втором часу дня. Наша лаборатория занимала четыре комнаты, точнее, зала. По десять столов в каждом, да еще оборудование, колбы, пробирки и всякая муть. Каждый занимался своим делом и собственными опытами. Общий результат получался при смешивании десяти, а то и больше компонентов в определенных пропорциях. Итоги подводили после испытаний. Иногда нескольких. Но о том, какая гремучая смесь получалась в итоге, знали трое. Я, начальник лаборатории и Зяма. Что-то знал наш главный фармацевт, но не всё.

Начальник лаборатории начал разглядывать меня как привидение. Хороший мужик, но очень рассеянный.

— Я с тобой сегодня здоровался, Андрюша?

— Нет, Иннокентий Василич, мы еще не виделись.

— Хорошо, что я на тебя наткнулся. Пойдем в курилку, там и поговорим.

Курящих в институте практически не осталось, так что курилка была лучшим местом для приватных разговоров. Но мы-то еще курить не бросили.

Уединившись, он закрыл дверь в коридор и, достав из кармана газету, подал мне. Я знал, что надо в ней искать. Короткая заметка была помещена на четвертой странице.

«Вчера утром в собственной квартире был найден труп начальника строительного треста “Свой дом” Агранова Семена Тихоновича. Его обнаружила домработница в восемь часов утра. Врачи “скорой помощи” установили, что Агранов умер от сердечного приступа примерно в шесть утра. К сожалению, он недавно разошелся с женой, и рядом с ним никого не оказалось. Возможно, его удалось бы спасти. По словами жены предпринимателя, они виделись накануне и ходили в ресторан. Дело шло к примирению. Но, увы, оно так и не состоялось из-за неожиданной смерти Агранова. Ему было сорок шесть лет...»

Дальше я читать не стал.

— В котором часу она дала ему дозу? — спросил я.

— Как договаривались, в десять вечера. Наши расчеты оправдались. Для остановки сердца понадобилось восемь часов.

— Камеру видеонаблюдений она установила?

— Не сработала. Свет в комнате не включался, и жалюзи были закрыты. Сплошная тьма.

— А ехать к нему не решилась?

— Конечно же, нет. Ей алиби нужно. Никто не может гарантировать результатов вскрытия.

— Мы можем, иначе за что деньги берем, — уверенно заявил я. — Препарат растворяется в крови полностью. К тому же вскрытие делают на следующий день после смерти. Если, конечно, не поторопить патологоанатомов. Ты доложил Зяме о результатах?

— Нет. Не будем торопиться. Приедет через пару дней и всё узнает. И результаты вскрытия будут готовы. Не дергайся, Андрюша. Всему свое время.

— Ладно. Плевать мне на Зяму. Этой бабе последнюю версию препарата дали.

— Ну, разумеется. Индекс восемьсот пять. Самая точная разработка. Восемьсот четвертый оставлял следы.

— Зяма умеет держать язык за зубами? Или на радостях в колокола зазвонит? — поинтересовался я с издевкой.

— Не считай его дураком, Андрей. Ты же спишь с Оксаной. Разве она что-то знает?

— Вот она-то умеет молчать. И чего она знает, мне неизвестно. Но за нее не стоит беспокоиться. А вот как насчет жены Зямы? — закинул я удочку.

— Серый кардинал. Одному Богу известно, чего она знает, а о чем даже не слышала. Но сам Зяма о ней вообще ни с кем не разговаривает. Закрытая тема. Да и видел ее я всего лишь раз на юбилее Зиновия Карловича.

— Меня там не было. Терпеть не могу посиделок с бездарными тостами. Ну да ладно. Главный шаг сделан. Теперь для нас новая эра наступила.

Выбросив окурки, мы вышли из курилки.

Я дождался момента, когда все ушли. После восьми вечера в институте даже уборщиц не оставалось.

Доступ к сейфу лаборатории у меня был. Им пользовались два человека: мой начальник и я сам. Секретный препарат с кодовым названием 805 существовал в двух видах: в порошке белого цвета либо в ампулах с жидкостью голубого цвета. Он имел вкус и запах. Тут уж ничего не поделаешь. Уникальная отрава. Но чтобы отбить вкус и запах, надо ее смешивать с алкоголем. Коньяк подходит к этому зелью лучше всего. Я взял оба варианта. Не думаю, что мой рассеянный начальник заметит пропажу. Во всяком случае, ему такая мысль не придет в голову. У нас никогда ничего не пропадало.

Из лаборатории я направился на седьмой этаж, где располагались кабинеты нашего руководства. Бездари и бездельники с высокими окладами. Среди этой своры был только один человек с мозгами, и звали его Илья Федорович Гальперин. Бывший полковник милиции, но никогда не занимавшийся оперативной работой. Он был снабженцем с большими связями и всю жизнь строил генералам дачи, похожие на дворцы. Достать он мог всё. Незаменимый человек. Нас он тоже обеспечивал всей таблицей Менделеева. Особенно мне нравился его хитрый взгляд. Он никогда не задавал вопросов, будто знал все ответы заранее. А главное, он очень хорошо разбирался в человеческой натуре и точно знал, кому чего не хватает. Я был одним из немногих, с кем Илья Федорович выпивал. Он не пьет с людьми, для которых что-то делает, либо с теми, кто может обратиться к нему с просьбой.

Я ничем не интересовался и ни черта не просил. Свободный художник по жизни и пофигист. Он это понял, а потому мы и выпивали с ним от случая к случаю. Кто же знал, что в одночасье во мне произойдут резкие перемены. Никому и в голову не приходило, что во мне черт спит. И кто знает, чем его пробуждение может закончиться.

На этаже горел дежурный свет. Пять лампочек на стометровый коридор. Я мог найти кабинет Зямы и в полной темноте. Пять лет уже хожу по коридорам института.

Интуитивно я выбрал нужный ключ и открыл дверь. Сначала шла приемная. Здесь мы когда-то познакомились с Оксаной. Из факса на ее столе торчал лист бумаги. Я взглянул на него. Это было подтверждение из Омска о брони номеров 303 и 304 в отеле «Таежный». Меня эта бумага смутила. Не тем, что ее прислали, а тем, что Оксана заказала два номера. Обычно они заказывают общий люкс из трех комнат, а тут номера разные. Меня такая новость только порадовала.

Я пошел дальше, открыл кабинет, вошел и зажег свет. Даже если меня здесь застукают, то вряд ли это может настороржить. Все знали о моих панибратских отношениях с директором и о том, что я вхожу к нему без стука. Моему появлению здесь не удивятся. Ключ от сейфа отличался от остальных. Ничего особенного в сейфе не хранилось. Лежало много надписанных конвертов с деньгами. Это для взяток и откатов. Один из них предназначался начальнику управления местного МВД. И таких пиявок хватало, и каждому дай. Зяма умел ладить с нужными людьми. Он точно оценивал услуги каждого, оттого и конверты по пухлости были разными.

Я достал только портфель. Небольшой, старый, потрепанный, но кожаный. В нем Зяма хранил личные бумаги. Я сел за его стол и тут увидел в рамке фотографию Лены. Она стояла с потрясающей улыбкой и смотрела на меня. У меня мурашки побежали по коже. Я никогда не находился с этой стороны стола, а потому видел рамку на ножке лишь с обратной стороны и не знал, кто изображен на снимке. Теперь увидел. Как можно, имея такую жену, заводить себе любовницу, да еще сортом ниже?! Зяма полоумный.

В конце концов, я открыл портфель и достал из него бумаги. Тут хватало всякого мусора, но я нашел главный документ. Это завещание. И оно выглядело очень лаконичным. Все состояние, движимое и недвижимое имущество, передается супруге Елене Сергеевне Подрезковой при соблюдении ею пунктов 6, 7, 8 и 9 брачного договора. В портфеле шефа брачный договор тоже присутствовал. И этот документ имел важное значение, если его упомянули в завещании. Я нашел указанные пункты. В них речь шла об измене жены мужу, но в нем ничего не говорилось об измене мужа жене. Значит, он может гулять свободно, а она лишается всего. Мало того, завещание должно быть оглашено через полгода после смерти мужа. Хитро задумано. Лялечка очень рисковала, придя ко мне ночью. Все кончилось скорее закономерно, нежели необычно. Впрочем, ни я, ни она по дороге ко мне об этом не думали. Мы попросту уносили ноги, а я страшно не хотел возвращаться в свой клоповник в одиночестве.

Сейчас все это уже не имело значения. Я забрал оба документа и переложил их в кожаную папку, а портфель положил на место и закрыл сейф. На стене в приемной висело расписание поездов, и я понял, что забежать к Оксане домой уже не успею. Из института я вышел в девять вечера и на полных парусах помчался на вокзал.

К поезду я успел. Никаких билетов покупать не следовало. Проще договориться с проводниками. Платишь наличными и едешь. Мест осенью полно, к тому же до Омска четыре часа езды.

Все шло как по маслу. Мне всегда удаются мои задумки. Главное — не суетиться и не нервничать. Да и с чего бы? За меня сейчас черт думал, а у него все получается.

Я еще поспать успел в отдельном купе. В час ночи меня разбудила проводница.

— Подъезжаем.

Я даже не сразу понял, где нахожусь.

— Скажи мне, милая, а когда вы обратно поедете?

— Мы едем дальше, потом обратно. В Омске будем в семь утра.

— Тогда прихвати меня. Я ведь на минутку, дочку навестить, а завтра еще на работу вернуться надо.

— Ради бога! Мест полно, сам видишь.

— Вот и ладушки.

От вокзала я взял такси. Около двух часов был в отеле. Холл пустовал. Швейцар гуляет, дежурный администратор спит. Задержка произошла в коридоре третьего этажа. Какой номер выбрать? 303 или 304? Я повернул ручку первой двери и приоткрыл ее. В номере горел свет. Я тихо вошел. Чемодан на кровати, женские вещи, мелодичный голосок тихо мурлыкал в ванной. Ошибся адресом, прошу пардону. Следующая дверь тоже была не заперта. Зяма расхаживал по комнате в махровом халате и болтал по мобильнику. Я притаился за дверью.

— Да, киска, все в порядке. Только что поужинал в ресторане с ребятами. Наши договоренности в силе. Документы будут готовы к завтрашнему дню. Веди себя хорошо.

Он наверняка разговаривал с Леной. Иметь еще одну бабу на стороне — это уже слишком. Я не стал напрягать мозги и смело вошел.

— Живем нараспашку?

— Фу, черт! Ты меня напугал.

— Конечно, если ты меня с чертом спутал.

— Как ты здесь очутился?

— Приехал по делу. Даже коньяк по дороге купил. Поболтаем и уеду.

Я поставил бутылку на стол, сел в кресло. Вынул из кармана газету и бросил на стол.

— Вот новостишка.

Зяма тоже знал, где и что читать. Просмотрев газету, он в задумчивости принес два стакана, стоящих возле графина, и поставил на стол. Я разлил коньяк. Мы выпили.

— Важное событие. Его стоит отметить. И все же это не шедевр. Как действует препарат?

— Ну ты же знаешь. В течение двух часов у человека атрофируются конечности. Проще говоря, его парализует. Головой он понимает все, но ничего не может сделать. Живая мумия. В следующие четыре или пять часов у него начинает падать уровень кислорода в крови. Это мы проверяли датчиками. Когда этот уровень доходит до нижней планки, сердце не выдерживает, а мозг умирает. Наступает физическая смерть. Следов препарата в организме не остается. Он испаряется вместе с кислородом, и потом вскрытие может показать лишь повреждение сосудов сердечной мышцы. Причины для такого приступа всегда найдутся. Но точная диагностика невозможна.

— Врачи могут определить диагноз до смерти. На первом этапе.

— Поставят обширный инфаркт. Ничего другого им в голову не взбредет. Если человек парализован, то кровь у него брать никто не будет, анализ мочи их тоже не заинтересует.

— Хуже всего, Андрюша, то, что мы работаем на заказчика. А значит, на живого свидетеля. И их число будет только расти. А значит, мы уязвимы. Тем более что такой бизнес требует рекламы, а иначе у нас не будет клиентов. И сеть посредников нас не спасет. Стоит грамотно потянуть за ниточку, и она приведет к клубочку.

— Кто не рискует, тот не пьет шампанское, — усмехнулся я.

На этот раз Зяма сам разлил коньяк.

— У тебя лимончика нет?

Он подумал и ответил:

— Кажется, есть виноград. Сейчас гляну в холодильнике.

Пока он ходил к холодильнику, я высыпал порошок в его стакан. Как все просто.

— Предлагаю новую идею, — продолжил он, взяв стакан в руки. — Мы должны сами выбирать себе клиентов и сами брать их в оборот. И все деньги забирать себе. Причем клиент нас не сдаст. Потому что он всегда будет знать, что возможна новая атака. Но на этот раз его не спасут.

— Обычный шантаж? — удивился я.

— Смысл не в этом. Нам нужна сыворотка спасения. Пусть схема работает по-прежнему. Ты говоришь, будто клиент находится в здравом рассудке, но парализован и понимает свой конец. Вот тут ему нужно показать шприц. «Один укол — и ты вернешься к жизни. Он стоит миллион долларов. Выбирать тебе. Похороны обойдутся дешевле». Заплатит любой, у кого есть деньги. Ну а таких клиентов сейчас много. Ты гениальный химик, Андрюша. Сыворотка жизни должна появиться не позже, чем через полгода.

Зяма выпил коньяк. Я тоже.

— Идея хорошая. Но придется переработать восемьсот пятый препарат. Новый должен вернуть клиента к жизни. Сейчас спасти человека невозможно. Если оставлять ему шанс, то некоторые компоненты, от которых нет спасения, придется изъять. Тут есть над чем подумать.

— На то тебе Господь умную голову на плечи посадил. Эксперимент себя оправдал. И хватит. Заказчик был надежным. Человек, за которого я могу поручиться лично. Но дальше мы не пойдем.

— Согласен. Ладно, Зиновий Карлович, я, пожалуй, пойду.

— И черт тебя дернул приехать.

— Точно. Черт дернул. Но событие мне показалось очень важным. Захотелось его отметить. А с кем, если не с тобой. Ты ведь, как и я, неугомонный. Опять меня озадачил. И опять ты прав. Контроль должен оставаться в наших руках.

Я встал, пожал ему руку и ушел. На выходящих из отеля никто не обращал внимание. Не спится человеку, погулять вышел.

Над гостиницей висело светящееся табло с календарем и часами. Шел четвертый час ночи. Я решил пройтись до вокзала пешком. До поезда еще куча времени. По возвращении надо забежать на работу и посветиться на людях. А главное — дождаться новостей из Омска. Они должны быть печальными.

2

Никого из своих жертв я не знал. Все они играли роль подопытных кроликов, и не более того. Я плохо понимал, что такое смерть. Меня интересовали результаты опытов. Подсыпая порошок Зяме в коньяк, я не думал о его физической смерти. Просто впервые проделывал эксперимент лично и не собирался никому об этом говорить. Зиновий Карлович Подрезков был моим шефом, и нас связывала общая работа. К тому же я лично отправил его на тот свет. Но он к смерти относился как к своему бизнесу, который начинал приносить прибыль. И здесь Лена права. Он был страшным человеком, и жить с таким рядом страшновато. А хуже всего то, что он чувствовал свою безнаказанность. Такой способ убийства невозможно раскрыть. Теперь я понимал, какую адскую машину придумал. Хуже всего, что отдал орудие смерти хладнокровному дельцу, которого, кроме денег, ничего не интересует. Но процесс уже пошел, и вряд ли я смогу его остановить. Идея рождалась как помощь безнадежно больным людям. Эвтаназия избавляла людей от мучений, а я был ее сторонником. Но никто не хотел ее признавать, и врачей отправляли в тюрьмы. Я сумел создать препарат, не оставляющий следов после смерти, но не рассчитывал, что мне скажут за это спасибо. А Зяма перевернул мою идею с ног на голову. Он лучше меня понимал, что мы живем в волчьей стае.

— Выйдя на улицу, я ткну пальцем в любого, и он станет убийцей, — говорил он мне. — Надо лишь избавить его от наказания, а врагов у всех хватает. Мы умеем ненавидеть. Любовь существует только на словах и в сказках. Она, как красивые цветы, растет только на клумбах и требует ухода. В остальном мы натыкаемся на сорняки.

Я с ним не спорил. Он видел мир по-своему. А я ученый и жизни вовсе не знал. Любовь меня тоже не касалась. Женщины мне доставались легко, и расставался я с ними без сожаления. Одна лишь Оксана задержалась дольше других. Скорее всего, из-за моей лени. Всегда под боком, хорошенькая, с прекрасным характером, добрая и не раздражительная. Большего мне и не требовалось, пока в мою жизнь не ворвалась Лена.

На работу я опоздал часа на два. Никто этого не заметил. День проходил обычно. Я ждал новостей из Омска, но никто не звонил. Может, я в чем-то ошибся? Решил зайти к начальнику лаборатории Белухину. Мы вновь направились в курилку, где нам никто не мешал. Закурили.

— Есть идея, требующая серьезной работы, Кеша.

— Ты еще не устал от своих идей?

— Нам не нужны свидетели и трупы. Надо лишь заменить два элемента в составе. Это спасет жизнь клиенту. Практически ничего не изменится, но жить клиент сможет сутки, а не шесть-семь часов. Спасти его можно прямым уколом в сердце. Три кубика

2 Зак. 1467

предназолина — и он остановит приступ, заставит сердце работать в нормальном ритме и повысит кислород в крови до нормального уровня. Надо добавить еще пару элементов, и результат будет стопроцентным. А в восемьсот пятом мы заменим разрушающий клетки батмил на супсат двести.

— Плохая идея. Супсат двести из крови не выводится. Следы обнаружат. Но через сутки, не приходя в себя, клиент все равно умрет.

— Его спасет сыворотка. Мы не будем ждать его смерти. А стало быть, никто не будет делать вскрытие. Любой клиент отдаст все деньги за жизнь. Он будет знать, что в любой момент может умереть, если не пойдет на наши условия. И при этом мы избавим себя от свидетелей и ни с кем не будем делиться. И проделывать все эксперименты надо в других городах. План не трудно придумать. Но мы не будем предоставлять отраву алчным родственникам.

Белухин начал прохаживаться по курилке, заложив руки за спину и дымя как паровоз. Я лишь глазами наблюдал за его нервозностью. Наконец он остановился.

— Задумка дерзкая. После нашего эксперимента жертва не будет молчать, а начнет копать, опасаясь за свою жизнь. А если нас найдут?

— Нет, мы исчезнем. Главное, чтобы он не понимал, от кого исходит угроза. Во-вторых, он не сможет ничего доказать. А в-третьих, он не будет знать, против кого собирается воевать. У него нет и не будет ответа ни на один из вопросов.

— Нас вычислят. Способов полно. Но главный, на чем сыплются все, — это передача денег. Тут ничего придумать невозможно.

— Возможно, Кеша. И я уже над этим думаю.

— Этот вопрос может решить только Зяма. Он гений злодейства. С его коварством спорить невозможно. Но я боюсь, он уже никогда не откажется от существующей примитивной схемы.

— Тогда мы его убьем.

Белухин вздрогнул и уставился на меня как на сумасшедшего.

— Ты в своем уме?

— Конечно. Потому мы этого делать не будем, а начнем искать компромиссы. Я не хочу превращать наш институт в фабрику смерти. Азарт Зямы превратит нас в палачей. Нас радует успех. Но он же превращается в могилы. После нас ничего не останется, кроме кладбищ.

Тут в курилку зашла лаборантка.

— У нас беда, господа начальники. Звонила Оксана Лебеда из Омска. Зиновий Карлович умер.

Белухин опять вздрогнул. Я среагировал более спокойно.

— При каких обстоятельствах?

— В полдень у шефа в ресторане была назначена встреча с партнером. Оксана подготовила договор, который следовало подписать, и спустилась в ресторан. Позавтракала и стала ждать шефа. Партнер пришел вовремя, а хозяина все нет и нет. Она решила подняться в его номер. Дверь была заперта изнутри. Вызвали горничную, та открыла номер. Зиновий Карлович лежал в своей постели мертвым. На столе стояли сердечные лекарства. Приехали врачи и определили смерть вследствие острого сердечного приступа. Сейчас покойного переправили в морг. Составили протокол, но, скорее всего, для проформы. Тело отдадут после вскрытия. Мы должны выслать за ним свою машину. Это все, что она мне успела рассказать.

— Спасибо, Катюша. Иди к Гальперину. Он первый зам Зямы и отдаст все нужные распоряжения.

— Хорошо, — кивнула девушка и ушла.

— Послушай, Андрей, — тихо и вкрадчиво начал Белухин. — Тут сработал восемьсот пятый препарат. И Гальперин придет к такому же выводу. Не забывай, что ближайший друг и помощник Зямы бывший полковник милиции. Он этого дела так не оставит.

— Илья Гальперин бывший снабженец, а не оперативник. Он дачи генералам строил, кафельную плитку и унитазы доставал. Что он может сделать?

— А его связи? Тридцать лет проработал бок о бок с генералами. Из-за его связей Зяма и сделал Илью своим замом. И не ошибся. Мы имеем все то, что академикам недоступно.

— К чему ты клонишь, Иннокентий Василич? — задал я примитивный вопрос.

— Мы не знаем, какие отношения были между Зямой и Гальпериным. Думаю, Илья подбирал надежных клиентов для Зямы. Он ему доверял.

А по этой причине Гальперин поймет, кто свалил в гроб директора института.

— Ты говоришь об Оксане? — Я старался не давить на старика. Он был слишком растерян и в любую минуту мог замкнуться. Мы не были друзьями, больше походили на заговорщиков. Нас связывала только работа и ничего больше.

— Здесь и дураку все понятно. Оксана вышла из своего номера и спустилась в ресторан на завтрак. Кажется, такая версия прозвучала? Тебе ли, Андрюша, не знать, что они всегда жили в одних апартаментах. Зачем им разные номера? Второе. Почему она перед завтраком не зашла к Зяме в соседний номер? Или он к ней утром? Он же встает ни свет ни заря. Нет. Она тянула время. Пришла в ресторан на завтрак и сидела там до часа. Представим себе, что это она подсыпала ему восемьсот пятый препарат. В этом случае все ее действия соответствуют логике.

— А если это не так? — пытался я сопротивляться. — Что она может знать о действии восемьсот пятого?

— Не будь дураком, Андрей. Или хотя бы не притворяйся. Зяма брал с собой журналы с нашими исследованиями, и мы ему расписывали все в деталях, как пятикласснику. Он же ни черта не понимает в химии. К отчетам прилагались фармацевтические исследования. Три раза в неделю он ночевал у Оксаны. Она могла видеть все наши документы. Даже если ни черта не понимала в них, то знала, чем кончится применение нашего зелья. И если помнишь, газету я передал тебе вчера. Некролог появился в утреннем выпуске. Они еще на поезд не сели. Некролог стал сигналом. Сработало. Надо действовать. И она сделала то, что от нее требовалось.

— Не вижу мотива, — покачал я головой. — Ты очень трезво рассуждаешь. Грамотно. Но в твоей истории я не вижу смысла. Смерть Зямы, как и нам с тобой, ей не нужна. Мы ничего не получим взамен. Лучше нам не станет. Просто мы сможем вести наши разработки не так открыто и откровенно. Если вообще нас здесь оставят, а не выставят на улицу. Без лаборатории мы беспомощны. Нам нужны дорогостоящие приборы, опыты и грамотный обзор информации. Оксану тоже вышибут за дверь. Она ноль.

— Ладно, Андрей. Мой последний аргумент. Я ездил с Зямой в командировку. За пять лет Оксана лишь дважды жила в отдельном номере. Просто для них не нашли апартаментов. Но они постоянно ходили друг к другу по поводу и без и никогда не запирались. Даже ночью. Мало того что она не зашла к нему перед рестораном, но когда нашли его мертвым, номер был заперт изнутри. А теперь элементарный расчет. Если Зяма выпил раствор в ресторане поздно вечером, то его действие он оценил лишь через два часа. Онемение мышц — первый этап. В эту минуту он понимает, что с ним произошло, но встать уже не может. И никаких сердечных лекарств Зяма с собой не возил. Все просто. Оксана создавала антураж. Она зашла в открытый номер и заперла его изнутри. Беспомощный Зяма мешком валялся на кровати. Это она поставила пузырьки с лекарствами на стол, а потом вышла на балкон и через перила перелезла в свой номер. Вот почему она не зашла к нему в номер утром, а отправилась в ресторан в гордом одиночестве. Какие тебе еще нужны доказательства?

— Ты очень убедителен, Кеша. Железная логика. Если все так, как ты рассказал, то надо понять, чью волю она исполняла. Оксана — девушка смелая. Она может пойти на отчаянный шаг. Но не от дури, а с определенной целью. И ей нужны гарантии. Но на что она могла клюнуть, когда имела всё, что хотела? Квартира, деньги, бриллианты, работа и плюс любовник для души. Это я про себя.

— Сейчас, Андрюша, мы не ответим на эти вопросы. Нужно время. Вряд ли с приходом нового шефа ее положение изменится. Она останется в обойме с определенными улучшениями. И знала об этом и раньше. Убийство Зямы готовилось давно. Ждали сигнала. Он прозвучал. Некролог в газете. Испытания прошли с успехом. Пора. Вот почему им дали разные номера. Вот почему у нее в сумочке появились сердечные лекарства. Дальше эту тему развивать бесполезно. Мы можем только ждать.

Белухин выбросил свой пятый окурок в урну и вышел из курилки.

Логика моего руководителя казалась железной. Можно поверить, будто события именно так и происходили. Никто Оксану ни в чём не заподозрит. Начать надо с того, что факт убийства недоказуем. Наши разработки засекречены. Мы специализировались на выпуске психотропных средств и выполняли государственный заказ, имеющий гриф «секретно». Нас опекали и охраняли. Заказчики нас боготворили. Проверки не обнаружили никаких нарушений. Их не было. Талант Зямы как менеджера не нуждался в критике, а хитрость и гениальные способности бывшего мента Гальперина поражали воображение. Он мог достать лунный камень, если бы тот понадобился. И не что-то фантастическое, а настоящий булыжник с поверхности Луны. Один из двоих ушел. Гальперин жив и здоров. Я уже говорил о том, что был единственным собутыльником Гальперина. И то только потому, что мы не нуждались друг в друге. Каждый занимался своим делом. Нас объединяли независимость и свобода. Со своей ленью я завидовал энергичности Ильи. Он же восхищался моими научными открытиями, которыми я никогда не хвастался. Просто забывал о работе, покидая институт. Всегда и везде я чувствовал себя в своей тарелке, а к людям относился одинаково. У меня не было идолов. Ни друзей, ни врагов. И такая жизнь в подвешенном состоянии, когда ты еще не на небесах, но уже оторвался от земли, меня устраивала.

Я дождался Гальперина в машине и окликнул его. Солидный, высокий, сильный, он подошел ко мне и улыбнулся:

— Привет, Андрей. Дела все сделал. Послезавтра его привезут. И с кладбищем все проблемы решил. Единственное, что я не смог сделать, так это позвонить его жене. Послал к ней курьера.

— Тяпнем по рюмашке. Что-то у меня на душе кошки скребут.

Он почесал свой выбритый подбородок, потом махнул рукой и сел в мою машину.

Мы оба любили итальянскую кухню, и я поехал в знакомый ресторанчик, где мы часто бывали. Там никогда не было толкотни и в лучшем случае набиралась четверть зала.

Мы устроились за дальним столиком, заказали себе мартини с джином и оливками и легкие салаты.

— Неужели смерть Зямы тебя выбила из седла? — спросил Гальперин.

— Нет, конечно. Но я консерватор. Не люблю резких переходов. Люблю гладкое течение. Ты веришь в то, что его убила Оксана?

— В этом нетрудно убедиться. Если она привезет документацию назад, значит, это ее рук дело. Если нет — ее подставили, но сделали это очень грамотно. В любом случае следствие касается только нас, и никого больше. Для остального мира Зиновий Карлович умер от инфаркта.

— А это следствие нужно?

— Конечно. Оно будет определять нашу политику. Тебе пора бы кое-что узнать. Зяма поехал в Омск для продажи формулы восемьсот пятого препарата со всеми разработками. Обычная общая тетрадь стоимостью пять миллионов долларов. Покупатели — люди нечистоплотные. Таким нельзя давать в руки оружие. Они полмира отправят на тот свет. Хочу сразу оговориться. Были и другие покупатели. Более солидные и надежные, но они требовали от Зямы полного отказа от дальнейших разработок. Давить на него было бесполезно. В нашем институте работает сорок семь лабораторий, и каждая состоит из специалистов высокого класса. Найти гения, создавшего препарат, невозможно. Зяма решил отказаться от восемьсот пятого индекса, но на его основе создать более качественный продукт. Эту идею он унес с собой в могилу. Но произошла утечка. Заказчики узнали о встрече Зямы с покупателями в Омске. Тетрадка попала бы в руки тех, кто мог ею неправильно воспользоваться. Ему помешали совершить опрометчивый шаг. И конечно, Оксана здесь сыграла главную роль. Следующий вопрос. Если она не привезет документы, значит, Зяма продал проект. Но если привезет, то кому отдаст? Вернет в институт или сдаст заказчикам? От таких денег никто не откажется. О суммах можно говорить абстрактно. На жизнь ей хватит. А главная фишка заключается в том, что Оксана уверена, будто мы — институт — не знаем о целях поездки Зямы в Омск. Один из бывших покупателей продал мне всю информацию о предстоящих торгах. Я его не знаю, но эти люди имеют силу и власть. Меня предупредили, что сотни людей не позволят провести эту сделку. Они хотят получать чистый товар из первых рук, а не путаться с отребьем, которое за фикцию взвинтит цены. Таков их приговор. К убийцам следствие нас не приведет. Просто мы сможем понять, кто выиграл в этой схватке.

— Оксана в такой ситуации не выживет.

Илья пожал плечами.

— Даже думать о ней не хочу. Девчонка сделала свой выбор. Теперь важно не переходить на личности. Она оплошала, и ей конец.

3

Мысль о том, что я стал дублером Оксаны, выглядела смехотворной. Мало того, толкнуть меня на умышленное убийство не мог ни один человек, кроме женщины, в которую я безумно влюбился. Но она этого не делала. Инициатива исходила от меня. Идея тоже принадлежит мне. Допустим, что наше с Леной знакомство в баре было подстроено. Я человек резкий и даже буйный, если на моих глазах происходит произвол. Тут все точно выверено. Но я не собирался везти ее к себе домой. Мне просто хотелось выпить, и я подцепил собутыльника. Это потом в моих глазах начали меняться краски. Цепь случайностей не могла привести к этому. На следующий день Лена ушла. На этом всё. Сказка закончилась. Может, я бы и сорвался, но дня через два или три. Нет, черт во мне не спал. Я сам к ней поехал и только потом принял решение.

Есть одна деталь. Оксана обеспечила себе алиби. Но когда я приехал, девушка была в ванной. По идее порошок она могла дать ему в ресторане за ужином. А это значит, что к двум часам ночи он покрылся бы красными пятнами и уже не смог бы встать с кресла и даже пошевелить рукой. Никаких симптомов. Живой, энергичный, полный планов. Значит, Оксана не давала ему раствор. Это должен был сделать кто-то другой, но я его опередил. Подставить меня невозможно. Когда я вошел в его номер, он сюсюкал по телефону со своей женой, будучи с ней в ссоре. Кто кому звонил? Она ему, чтобы убедиться в его жизнеспособности, или он ей, дабы извиниться за скандал. На этот вопрос нет ответа. Человек умер, а не был убит. Но если подозрения в убийстве возникнут, то первой подозреваемой будет Оксана, и она это понимала.

Самое смешное то, что я не ощущал никаких угрызений совести. Смерть директора меня не волновала и не трогала. Меня больше всего удивлял я сам. Тихий, равнодушный, безразличный, я вдруг вырвался из бутылки, как сказочный джинн, совершил тяжкое преступление и вновь закупорился. А главное, что все случившееся вряд ли как-то повлияет на мою жизнь. Лена — это непреодолимая стена. Даже если она так же влюбилась, то с ее наследством она становится хозяйкой положения. Весь мир у нее в кармане. Зачем ей связываться со мной? Я лишь обуза. Нет. Не дальновидно. А по сути, проявился избитый детективный сюжет. Жена хочет убить престарелого богатого мужа, будучи при этом молодой красавицей, и находит самый простой способ. Точнее, не способ, а лоха, который в нее влюбляется и делает всю черную работу. Об этом писали Кейн, Чандлер, Чейз, да кто только ни испытывал на прочность старый, как мир, сюжет. Согласен на роль лоха, лишь бы все сработало по-моему.

В темном подъезде моего дома, где лампочки горели через этаж, я остановился на площадке, не дойдя одного пролета до своей квартиры. Рядом с дверью на ступеньках сидел сгорбившийся комок, будто мешок картошки прислонили к стене. Я замер, и у меня вновь заколотилось сердце. В этот момент я ничего не чувствовал. Просто меня парализовало. Странный комок зашевелился, выпрямился и встал в полный рост. Я увидел Лену. Она сделала первый шаг мне навстречу. Я пулей пролетел пролет, и мы оказались в объятиях. Две минуты молчания и ничего, кроме чувств.

— Я решила повторить нашу предыдущую ночь. Ты не будешь возражать?

В руке я держал папку со всеми документами, украденными из сейфа ее мужа. Выйдя вчера из института, я бросил ее в багажник и до сих пор возил с собой. Зачем я это сделал, мне было не понятно.

Я открыл дверь своего клоповника и пропустил ее.

— Не страшно? Он завтра утром возвращается, — спросил я.

— Я оставила ему записку, что ночую у подруги. И мне плевать, о чем он подумает. Есть силы, которым я не могу сопротивляться.

На этот раз водка нам не понадобилась. Мы лежали на кровати — единственном достоинстве моего интерьера. До самого утра мы занимались только собой и не обсуждали наше будущее, будто этот вопрос был уже решен.

— Ты знаешь, Андрюша, я полюбила тебя с первого взгляда. Меня это даже напугало. Я человек сдержанный и уравновешенный. Мужчина может мне понравиться, но тут же вмешивался разум — мой главный противник, и ни одна история дальше флирта не заходила. Вчера разум не вмешался. Видимо, он тоже понимал, что его силы не беспредельны. Сумасшествие разуму не подчиняется.

— Согласен. Ты женщина, которую я искал всю жизнь. Уверяю тебя, к нашей встрече я был не готов. Не ждал ее и даже не думал. Угодил в тиски, из которых нет выхода. И это навсегда. Мы обязаны быть вместе.

Она тяжело вздохнула.

— Последствия могут стать катастрофическими для обоих. Мой муж своего не отдаст.

Я понял, что о смерти Зямы она ничего не знает.

— Ты хотела бы соединить наши судьбы навсегда? — спросил я.

Лена улыбнулась и закурила. Над моей кроватью висели вырезки из журналов. Это были портреты американской звезды Ланы Тернер. Сногсшибательная блондинка. Она умерла в девяносто пятом году в возрасте семидесяти четырех лет. Шесть раз была замужем. Ее слава прокатилась по свету в сороковые-пятидесятые. На эту женщину я всегда смотрел с восхищением. Но я родился не в Америке, а когда она стала звездой, меня еще на свете не было. Так создают себе идолов. Им стала Лана, и опускаться на ступень ниже я не собирался. Лена встала на колени и начала разглядывать снимки.

— А представь себе, что я перекрашусь в блондинку, сделаю такую же прическу, накрашу губы яркой помадой, так же подведу глаза, а еще куплю себе накидку из белого песца.

До меня только дошло, что они очень похожи. Возможно, где-то в подсознании я уже понимал это. Лена становилась Ланой, но живой, и я мог ее чувствовать. К тому же у Лены была более современная фигура и тоньше талия.

— Мужчины часто вешают портреты звезд в доме. Мальчишество.

— Но у тебя нет других звезд. Только эта, — сказала она, закуривая. — Мечтательный мальчик.

Черт подери, но я даже не думал об этом. И действительно, Лена очень похожа на Лану Тернер. У меня мурашки побежали по телу.

— Ну и как тебе спать с картинкой со стены? — спросила она, ухмыляясь.

— С бумажными вырезками я не сплю. Но иногда от скуки разговариваю с картинками. Главное, что они лишены дара речи и не отвечают на мои глупости. Но ты ответить можешь. Я хочу, чтобы ты стала моей женой. Твои деньги меня не интересуют. Я привык жить на собственные заработки. Мне нужна только ты.

— Не повторяйся, Андрюша. Я тебе верю. Но я замужем. В случае развода меня выкинут из дома. Я знаю своего мужа, он будет травить нас до гробовой доски. Этот человек не умеет останавливаться. Он монстр!

— Как ты провела вчерашний день? — спросил я.

— Подруга меня вытащила в филармонию. Мы слушали Шопена, Листа, Берлиоза. Вот почему на полу валяется шикарное платье и бриллианты. Я не могла ни с кем разговаривать. Все время думала о тебе. После концерта я тут же поехала сюда. Не знаю, сколько времени просидела на лестнице, но ты пришел. Сердце перестало колоть. Ты снял с меня приступ хандры. Я ожила. Это всё. О последствиях даже думать не хочу. Как сказал один из героев Пушкина: «Лучше один раз напиться живой крови, чем триста лет питаться падалью!»

Я тоже закурил и сел на кровати. Кажется, мы всё уже сказали. У меня запершило в горле.

В холодильнике еще оставалась водка. Я направился на кухню и выпил прямо из горлышка. Пора ставить точки над «и». Я взял папку и вернулся в комнату.

— Значит, на связь вчера ты не выходила? Возможно, так даже лучше. Мы получили известие из Омска. Вчера утром твоего мужа нашли мертвым в своем номере. Предварительный диагноз — обширный инфаркт.

Лена, съежившись, попятилась назад, пока ее не остановила спинка кровати. Она слова не могла произнести. Открывала рот и тут же его закрывала. Я холодно продолжал:

— После печального известия я проверил кабинет твоего мужа. Так уж получилось, что я на него работаю, а Оксана, секретарша, с которой он спит, моя любовница. Была ею до нашей встречи. У нее хранились дубликаты ключей, в том числе и от сейфа. Я его проверил, прихватив важные документы. Это брачный контракт и завещание. Его огласят только через полгода при условии соблюдения тобой нескольких пунктов брачного контракта. Ты обязана быть верной женой, даже после его смерти. А через полгода ты станешь сказочно богата, и институт перейдет в твои руки. Работенка не пыльная. Я поясню тебе кое-что.

— Нет необходимости. Я и раньше руководила институтом. Зяма без моего согласия не принимал ни одного решения, — строгим деловым тоном произнесла Лена. — Я хочу знать, кто его убил?

— Скорее всего, Оксана. Но не по собственной воле. Зяма хотел продать один секретный препарат. Об этом узнали. Перетасовка такого рода не устраивала многих. Так что заказчика можно искать годами. Им можешь быть и ты.

— Нет, не могу. Это я решила избавиться от восемьсот пятого препарата. Создавать в стенах института бациллу смерти я не хотела. Пусть ею занимаются те, кто рожден для того, чтобы убивать. Это я настояла на продаже. А теперь, как я поняла, сделка не совершилась.

— Не имеет значения. Займешь его место и продашь.

— Если меня до этого в могилу не отправят. Как видишь, это очень легко сделать.

— Я могу позаботиться о тебе, — тихо ответил я.

— Прятаться за чужими спинами я не привыкла. Важно другое. Я увидела тебя и стала свободной. Выжил бы мой муж или нет, решение уже было принято. И если ты не передумал, я стану твоей женой.

— Я не могу передумать. Нас свела судьба. Словами этого не объяснишь.

— Значит, мы выполним условие Зиновия Карловича. Поженимся через полгода. Но институт я беру под свою опеку сегодня же. На то есть указ руководителя.

Раздался телефонный звонок. Я снял трубку. Это был Гальперин. Шел седьмой час утра.

— Извини, Андрюша, машина с трупом выехала из Омска в сопровождении Оксаны и выделенной мной охраны. Девочку надо оградить от лишних людей. Думаю, документация при ней. Катафалк прибудет на привокзальную площадь. Вот туда и надо послать самых близких людей.

— Вскрытие сделали?

— Да. Десяти минут хватило. Все сосуды на сердце порваны. Диагноз подтвердился. Дальше копать не стали.

— Я буду в обязательном порядке.

— И еще. Загляни в дом Зямы. Тебе по пути. Я второй день не могу нигде найти его жену.

— Хорошо, Илья. Я заеду за ней.

Я положил трубку.

— Что ж, надо ехать домой, — тихо сказала она. — Заедешь ко мне в полдень. А ночи будем проводить в охотничьем домике у реки. Там Зяма прятался от назойливых посетителей. И еще, Андрюша. Ты должен оставить Оксану. Либо ты только мой, либо катись к черту.

— Я только твой.

Она быстро оделась и ушла.

Кажется, я загнал себя в клетку. Но Елена была моей самой заветной мечтой. И ради нее я пошел на убийство. Условно, конечно. Смерть ждала Зяму с занесенной над его головой косой, а я пырнул его сзади. Исподтишка. Опередил событие на несколько мгновений.

* * *

Большинство из тех, кто пришел встречать гроб, никогда не видели Елену. Ее сопровождала прислуга из их шикарного особняка. Все любили добродушного хозяина. Лишь для жены он был монстром. Да и то я в это не верю, помня их последний разговор по телефону, когда прятался в номере Зямы. К тому же он выполнял все ее инструкции, и практически она руководила институтом. Где-то Зяма допустил непростительную ошибку, за что и поплатился.

Но больше всего меня потряс ее вид. Я не видел убитую горем вдову. На ней было длинное темно-зеленое вечернее платье, куча бриллиантовых колец и сплетенное в косу жемчужное ожерелье из двух десятков нитей. Остальное повергло меня в шок. Воротник из белого песца, густые распущенные волосы платинового цвета и ярко-красная помада. Точь-в-точь Лана Тернер с плаката у меня на стене, не хватало лишь улыбки во весь рот. И все это было сделано для меня. Для кого же еще? Если изображений Ланы Тернер больше никто не видел. Я не мог оторвать от Елены глаз.

С вокзала покойного повезли в часовню при кладбище. Формальное отпевание. Я заметил Оксану. На ней тоже не было траурных одежд, но, во всяком случае, она была одета во что-то темное.

Могилу вырыли заранее. Прощальных слов никто не произносил. Похоронами занимался Гальперин. Он сумел довести ритуал до минимума. Оно и верно.

Зяма был заурядным человеком и особых почестей не заслужил. Газеты ни словом не обмолвились о смерти доктора наук и руководителя одного из крупнейших научно-исследовательских институтов. Вероятно, тут свою роль сыграла секретность. Имея государственные заказы на особые препараты, не поступающие в аптеки для обычных смертных, мы находились под контролем министерства и ФСБ. План выполнялся. Большая часть лабораторий имела фармацевтический уклон. Наша лаборатория носила название экспериментальной и не входила в число ведущих. Я занимал место техника-лаборанта с зарплатой академика. В ведомостях расписывался за гроши, а в конверте получал то, чего стоит моя работа. И я был такой не один. Все всё знали и понимали, но вслух о внутренней кухне никто не говорил. Каждый дорожил собственным местом.

Увольнения были редкостью. Дисциплина и умение держать язык за зубами ценились выше знаний. К тому же вся система была построена по конвейерному методу. Каждый знал свой отсек, но не дальше. Общая сборка проходила в особых отсеках, о которых никто ничего не знал. Я и был руководителем одного такого отсека, а потому имел свободный доступ к директору и знал о его планах. Таких людей были единицы. Каждого секретарша знала в лицо.

Меня беспокоило другое. Во время церемонии Лена даже не взглянула в мою сторону. Я же не мог оторвать от нее глаз. Могла ли такая женщина жить с таким мужем? Стопроцентная несовместимость. К этому надо добавить имеющуюся у него любовницу. И Лена знала о ней. Она умная проницательная женщина. Вряд ли я буду интересовать ее после похорон. Полагаю, не одного меня она перетянула на свою сторону. Подготовка к покушению шла не день и даже не неделю. Тут продуман каждый шаг. Я играл роль запасного игрока. Другое дело, что у меня все получилось. Я не мудрил и не строил планов. Экспромт всегда мне удавался. Но почему она выбрала меня?

Сейчас я смотрел на нее как на картинку на стене. Любуйся и радуйся, а тронешь — кроме старой бумаги, ничего не ощутишь. Но эта картинка была живой, и я ее уже чувствовал. Больше мне ничего не хотелось.

На кладбище я не поехал. Черт меня дернул вернуться в институт. Тут уже произошли перемены. Возле кабинета директора стояла охрана в униформе. А у дверей моей лаборатории красовались два амбала с оружием.

— Я могу войти? Здесь мое рабочее место.

Они посторонились, и я вошел. Зрелище было необычным. Возле окна стояла горящая буржуйка с выведенной за окно трубой. Сейф шефа открыт. Белухин лично доставал коробки с препаратами и кидал их в огонь, а долговязый охранник ставил галочки в журнале. Так горели наши труды. Препараты 804, 805, 801 уничтожили полностью. Трудно себе представить их стоимость, я уж не говорю о годах исследований и опытов.

Я закурил прямо в лаборатории. Дыма здесь и без меня хватало.

— Чье распоряжение ты выполняешь, Кеша?

— Есть постановление Зямы. В случае его нетрудоспособности распоряжаться институтом в полной мере обязана его жена Елена Сергеевна Подрезкова. Ее первый указ касается нашей лаборатории и кабинета ее мужа. Все препараты, содержащие гриф «секретно», подлежат полному уничтожению методом сжигания. Приказ, как видишь, исполняется.

Моя цена возросла. Над этими препаратами я провел опытов больше, чем кто-либо. Это я менял особые ингредиенты, не спрашивая разрешения. Формула 805-го плавала в моих мозгах как непотопляемый авианосец. Но главное — об этом никто не знал, иначе меня первым надо было бы бросить в печку. К тому же у меня оставалась одна ампула. Собираясь травить Зяму, я взял два варианта: порошок и ампулу. Порошок сработал, ампула осталась. И мне казалось, что выкидывать ее рано.

— Почему ты не пошел на поминки? — спросил Белухин. — Ты же был его любимчиком.

— Вряд ли он обидится. Терпеть не могу сборища. Тем более когда на них нечего сказать. Куплю бутылку водки и сам помяну его.

Белухин остановился.

— А ты не думаешь, что нас вовсе разгонят?

— А потом расстреляют, — добавил я. — Такими мозгами не разбрасываются. И лучше других это понимает Илья Гальперин. Теперь его поставят руководить институтом, а госпожа Подрезкова займет место посаженого генерала. Она баба хваткая. Своего не упустит. Ладно. Пойду напьюсь. А ты истопником поработай. Глядишь, еще одну профессию освоишь.

И я пошел напиваться. Понятия не имею, по каким кабакам меня кидало. Главное, что наливали. Вел себя тихо, мирно, даже язык прилип к нёбу, вот и смачивал его водкой, коньяком и даже пивом. Время летело незаметно. Сам не помню, как оказался у дома Оксаны.

Похоже, она увидела меня в окно и открыла входную дверь. Мерзкий дождь и в этот вечер лил как из ведра. Она меня раздела привычными движениями — я любил, когда меня раздевают женщины, а затем подала махровую простыню. И все это молча.

Потом она как-то тихо и спокойно сказала:

— Таких, как ты, очень тяжело терять. Но больше не ходи ко мне.

— Что-то не так? — спросил я, не вникая в смысл ее слов.

— Я работала и работаю на Елену. Это она заставляла меня спать с Зямой, так как сама в одну постель с ним не ложилась. Я ее заменяла. Тебя она увидела месяц назад. Я сидела в ее машине, когда ты вышел из института. Она даже побледнела. «Что с тобой?» — спросила я. Она ответила холодно и просто: «Этот парень будет моим мужем. Узнай о нем все». Тогда я о тебе и о нас ей все рассказала. «Ты получишь за него отступные. И больше не таскай его в свою постель. Теперь он мой», — ответила Елена.

Я понял, что спектакль в кафе был разыгран. Наше знакомство должно было состояться. Елена выбрала такой вот экзотический способ. И он сработал. Лена не ошиблась. Я влюбился в нее по уши. Все остальное уже не имело значения.

— Это она приказала тебе отравить мужа?

— Нет. Думаю, что здесь все намного сложнее. После первых опытов Ляля решила продать восемьсот пятый препарат. А точнее, его уничтожить. Покупатели в Омске были подставными. Это они подсыпали Зяме яд в ресторане. Я тут ни при чем. А для своего алиби я заказала разные номера. Зяма даже не знал об этом. Под утро я зашла к нему и забрала папку с документацией. Когда мы вернулись домой, я передала ее Елене. В ней все основные формулы.

— И потому она сожгла все образцы, а схему оставила себе.

— Не думаю, что она хочет ею воспользоваться. «Это путь в пропасть, — сказала она. — Нужен другой подход».

— Я знаю, какой подход она ищет. В котором часу вы ушли из ресторана?

— В начале одиннадцатого, — ответила Оксана.

— Это значит, что никто его не травил. К двум часам ночи он был бы парализован. Она пошла на риск. Решила испытать меня. И опять не прогадала. Я был в Омске в два часа ночи, разговаривал с

Зямой и лично подсыпал ему раствор. Она была уверена в том, что я это сделаю, но промолчала. Своего рода проверка. Умна, бестия.

— Это я ей сказала, что ты из тех людей, которые доводят все задуманное до конца. И еще я ей сказала, что у тебя очень сильный характер. Я просто не верила, будто Ляля сможет тебя опутать своими щупальцами.

— Я женюсь на ней. Но никогда не буду тряпкой в ее руках.

У Оксаны навернулись слезы на глаза.

— Значит, я для тебя ничего не значила?

— Ты меня без боя сдала своей подруге. Надеюсь, ты останешься живой. Такие женщины, как Лена, не любят тех, кто слишком много знает.

Я оделся и ушел.

* * *

Мы жили в рыбачьем домике на берегу реки. Лена всячески старалась походить на Лану Тернер. Даже одевалась по моде сороковых годов, а под юбкой носила чулки и пояс, что меня лишь еще больше возбуждало. Мы никогда не говорили о ее муже и о нашей предстоящей свадьбе. Институтом командовала она и делала это грамотно. Оксана осталась ее секретаршей. Гальперин стал первым заместителем, и это было правильное решение. Он знал больше всех, имел связи и отличное чутье.

Меня сделали начальником лаборатории, а Кешу Белухина посадили в кресло Гальперина. По сути, ничего не изменилось. Я занимался собственными разработками, и мне никто не мешал.

Но изменилась моя жизнь. Из пофигиста я превратился в счастливого человека. Я любил женщину, она любила меня, и это чувствовалось. На работе мы не сталкивались, а в хижину я ходил украдкой. Для счастливого и рай в шалаше, а вот Елене пришлось отказаться от комфорта и привыкать к убогим условиям. Но она ни разу не пожаловалась и никогда не капризничала.

Полгода пролетели быстро. Завещание зачитали, и Лена стала полноправной хозяйкой всего наследства.

Не прошло и недели, как мы поженились. И опять этот дурацкий брачный контракт. Видимо, она уже не могла обходиться без юридических выкрутасов. Елена оставляла мне все свое состояние на условиях верности и преданности. В общем-то, мне были отрезаны все пути к другим женщинам. Ее это тоже касалось. Вот только мне ее лишать нечего. Мне повысили зарплату в соответствии со статусом, что меня устраивало. Я переехал в ее особняк. Но роскошь и деньги меня мало интересовали. Захочу уйти — уйду и ни о чем не пожалею. Меня привязала к этой женщине любовь, все остальное не имело значения. Я считал, счастье будет длиться бесконечно, но, увы, так не получилось.

Жизнь очень коварная штука, а я слишком легкомысленно подходил к ней. Никогда не забывайте оглядываться!

Сегодняшний день

1

Чтение дневника Андрея так увлекло Таню, что она не услышала звонок. Стрелки часов подбирались к двум ночи. Она взяла трубку.

— Я скоро буду. Не запирай нижний замок.

— Хорошо.

Таня положила трубку. Это звонил он, Андрей, чей дневник она читала. Он часто по ночам писал, и она догадалась, что тот ведет дневник. Однажды Андрей сказал: «Если бы я мог рассказать всю правду, то в нее все равно никто бы не поверил. С моим талантом я могу написать фантастический роман. Вот тогда он будет выглядеть правдиво. В наше время фантастам больше верят. К ним не придираются. Но стоит буквоеду взять в руки нормальную книгу, как он тут же становится умнее автора и начинает придираться к каждому слову».

Они часто проводили время в рыбачьей хижине у реки. Таня уже знала, где он прячет свой дневник, и очень хотела его прочесть. Случай подвернулся. Она выкрала дневник и перепрятала его, а когда они собрались в лес за грибами, пролила канистру с бензином, а над ней поставила церковную свечку. Они ушли в лес достаточно далеко, когда свеча догорела и вспыхнул весь дом. Вернулись они к дымящимся головешкам. Дом ерунда. Андрей себе еще сотни таких построит. Но он был уверен в том, что его дневник сгорел. Таня же получила то, чего хотела.

Они познакомились при странных обстоятельствах. Андрей сбил девушку машиной. Кто был виноват, сейчас сказать трудно. Ночью она выскочила на дорогу, он едва увернулся, но задел ее крылом. И не удрал, а посадил в машину и отвез в больницу. У девушки оказалась сломана нога. Два месяца провалялась на койке, и каждый день он приходил с цветами. Ему тридцать семь лет, ей двадцать один год. Между ними пробежал тот самый ток, который часто называют любовью. Все бы хорошо, но Андрей был женат. Первое время он скрывал этот факт. И сознался лишь тогда, когда они перешли к близким отношениям. Для Тани новость стала настоящим ударом. Она ушла от него. Андрей сходил с ума. И все же он нашел ее. Таня сняла комнату на окраине города в заброшенном доме, где ютились несколько семей, ждущих человеческих квартир. Газ баллонный. Проводка ворованная от общей линии. Но Таня из ничего сумела свить уютное гнездышко.

Неожиданный ночной звонок поставил девушку в тупик. Она не успела прочесть и половины дневника, но уже поняла, что человек, писавший его, очень мало похож на того, которого она знала. Где он притворяется? В дневнике или в жизни? Она верила в то, что он любил ее. Так притворяться невозможно. Но и свою жену он безумно любил, если ради нее пошел на умышленное убийство. Жена у него очень красивая, следит за собой, шикарно одевается, невероятно богата. Андрей полностью от нее зависит. Он у нее работает и живет. Она покупает ему машины и возит на курорты в лучшие уголки земного шара. Лишиться всего ради сопливой девчонки? Разумом этого не понять. Но когда он добивался Елену, ему тоже море было по колено. Импульсивный человек. Он привык получать все, что хотел. Остальное не имело значения.

Андрей очень боялся потерять Таню. Он, как герой чеховской «Дамы с собачкой», постоянно повторял: «Мы обязательно что-нибудь придумаем». Свою жену он уже не любил, но боялся. Она держала его в ежовых рукавицах. Сильная женщина, но главное, что она его раздавит, как лягушонка. Мало того что лишит денег, но и любимой работы тоже. В противном случае от него уйдет Таня. И он это знает. У девушки тоже характер не подарок. Есть еще один скользкий факт. Став директором института, Елена могла заподозрить Андрея в убийстве мужа. Конечно, доказать это она не сможет, но сам факт может прижать Андрея к стене. Получить все, о чем он мечтает сегодня, можно одним путем. Убить свою жену, как когда-то он убил ее первого мужа. Страшно убивать только первый раз. С его решительностью, безнаказанностью, страстью и бескомпромиссностью Андрей на все был готов. Все должно решиться в ближайшие дни. Таня ему сказала, что через неделю уезжает из города и Андрей ее никогда не найдет.

В дверь позвонили. Таня спрятала дневник в тайник и открыла дверь.

Андрей был бледнее обычного и очень нервничал.

— Надеюсь, тебя никто не видел? — спросила она с порога. — Ты знаешь, как я отношусь к грязным сплетням.

— Я тебя никогда не подводил. Меня ни одна собака не видела в этом районе. А машину я оставил на соседней улице.

— Я не ждала тебя сегодня. Что случилось?

Он обнял ее и его лицо покрылось слезами.

— Мы свободны, Танюша. Случилась трагедия. Но она стала для нас спасением. У меня голова идет кругом. Я даже не знаю, с чего начать. Сегодня моя жена умерла. Сердце не выдержало. Думаю, она что-то узнала о нас. Я ушел на работу в половине девятого. Она еще нежилась в постели. Напомнила мне, что мы приглашены на вечеринку и чтобы я не задерживался. Я вернулся в начале шестого. Вполне успел бы принять душ и переодеться. Лена все еще лежала в постели. Я даже с ней разговаривал. На один из вопросов она не ответила. Я подошел к ней и понял, что она мертва. Рефлекторно я вызвал врачей и даже участкового. Мне не понравилось, что окна были открыты. Уже холодно, осень. А она лежала в постели голой. Она всегда спит раздетой. Врач определил сердечный приступ. Возможно, инфаркт. Потом ее увезли в морг.

Он опять заплакал. Тане показалось, что весь текст, что она слышала, Андрей повторял не один раз. Таня уже не сомневалась, что это он убил жену. Человек возомнил себя Богом. Человеческая жизнь для него не имеет значения. Он еще молод и очень влюбчив. Читая его дневник, Таня была уверена в том, что Лена — та самая женщина, которую Андрей будет носить на руках всю жизнь. Ничего не получилось. Он убил Елену, видимо, тем же способом, что и ее первого мужа. Это так просто. На сколько его хватит с новым опытом? На год? На пять лет? Он красив, нежен, остроумен и очень обаятелен. Молодой талантливый ученый. Если ткнуть пальцем в этого человека и сказать, будто он убийца, то народ лишь рассмеется. Да, шутка будет выглядеть глупо.

— Теперь мы уже никогда не расстанемся, — шептал он девушке на ухо и заметно дрожал.

Таня отстранилась.

— Сегодня не тот день, чтобы расплескивать свои чувства. Извини. Я хочу побыть одна. Мне надо подумать. Твоя жена в морге, а ты здесь и говоришь о будущем. Нет. Я так не могу.

— Я все понимаю, Танюша. Ты права. Мне лучше уйти. Но я хочу, чтобы ты знала главное. Теперь мы с тобой одно целое. Нам уже никто не сможет помешать. Никто и никогда. Ты — моя судьба.

Андрей медленно повернулся и направился к двери. Она смотрела ему вслед, и по ее коже пробежал мороз. Оказывается, очень просто жонглировать судьбами. Первой была Лена, второй будет она, кто следующий?

* * *

Телефонный звонок разбудил его ночью. Павел Михайлович снял трубку:

— Ильин слушает.

— Станкевич у аппарата. Извини, что разбудил, Паша. Есть срочная работа. Из морга шестнадцатой больницы звонил сторож. Исчез труп. Бесследно. Я хотел бы, чтобы ты занялся этим делом.

— Трупы ходить не могут. Прокуратура занимается убийствами, но не кражами.

— Украли женщину. Директора НИИ имени Менделеева. Сторож может что-то рассказать. Это учреждение давно находится под нашим пристальным вниманием. Институт закрытый. Выполняет госзаказы. Но эта третья смерть за год. Полиция в их дела не вмешивается. Скорее всего, их хорошо подкармливают. Думаю, что у нас есть повод вмешаться.

— Я понял тебя, Боря. Вот только следов мы не найдем. Дождь льет как из ведра.

— Я уже выслал экспертов и дознавателя на место. Возьмем ситуацию под контроль. Утром свяжемся.

— Хорошо, я выезжаю.

3 Зак. 1467

Ильин был человеком не молодым. Пятьдесят пять стукнуло, а в прокуратуру пришел в двадцать два, после юридического факультета. Профессия не оставила следов на его внешности и в поведении. Высокий, худощавый, с изящными чертами лица, очки в тонкой оправе. Он больше смахивал на профессора, чем на следователя, да еще одевался со вкусом. Когда-то он гремел. Его имя было известно в каждом уголке страны. Ни один преступник не выскользнул из его цепких лап. Последние годы Павел Михайлович отошел от крупных дел и занимался аналитикой. Готовился уходить на покой. Но оставались незаконченные дела, которые он хотел довести до конца. Начальник следственного управления Станкевич ценил Ильина и не торопился отправлять полковника юстиции в запас. К тому же они были старыми друзьями и много лет служили плечом к плечу. Ильин хорошо знал свою работу и ловко разгадывал ребусы, а потому в начальники не стремился. Более амбициозный Станкевич лез в гору и дослужился до генерала. Каждый добился своего. Но такое странное задание Ильин получил впервые. Кража трупа из морга...

Он встал, умылся, неторопливо оделся и выехал из дома. Ночью улицы пустовали, да и погода наводила тоску. Он ехал по мертвому городу в мертвый дом.

Территория больницы была небольшой. Четыре корпуса. Парк. Забор высокий, больше трех метров, из стальных прутьев с острыми наконечниками. На воротах охранник, шлагбаум открывался автоматически. Но сначала у него проверили документы.

— В конце аллеи увидите серый трехэтажный дом. Это и есть морг.

— Такой большой на маленькую больницу?

— Так их всего два на весь город. Со всех мест везут.

У входа стояло несколько полицейских машин. Ильина встретил полицейский и козырнул:

— Майор Кравченко. Уголовный розыск Северного округа.

— Как звать?

— Тарас Григорьевич.

— Хорошо. Я Павел Михалыч. Куда идти?

— Вниз. Сторож уже пришел в себя.

Они вошли в мрачное здание. Грузовой лифт опустил их на два этажа ниже. Два коридора составляли угол. В конце каждого распашные двери в хранилище трупов. Стол дежурного стоял в одном коридоре, лифт находился в другом. Других дверей здесь не было. Чисто. Пахнет формалином, в коридоре стоят тележки для покойников.

Возле стола дежурного медсестра перевязывала пожилому мужчине голову. Рядом стоял полицейский и что-то записывал в блокнот, второй полицейский просматривал служебный журнал.

Кравченко представил своих людей:

— Мои помощники. Капитан Салтыков и лейтенант Кандыба.

— Как я понимаю, покойница не вернулась? — спросил Ильин.

— Нет. Ничего не изменилось, — ответил майор.

— Вот что, Тарас Григорьевич. Несмотря на погоду, нам надо делать свое дело. Забор высокий. Труп через него не перебросишь. Значит, в нем должна быть лазейка. Попросите своих ребят ощупать каждый прут. Это первое, что мы можем сделать. А когда рассветет, проверим почву. Может, дамочку закопали здесь, чтобы не таскаться с покойником.

— Выполняйте, ребята.

Офицеры вышли.

— Как вас величать? — обратился Ильин к сторожу.

— Роман Семеныч. Здесь меня называют дед Роман. Я страдаю бессонницей, оттого меня и держат. Ночами не сплю.

— Как вы узнали об исчезнувшем трупе? Вы делаете обход?

— Да чего тут обходить. Сидел газету читал. Вдруг хлопок. Так дверь лифта за углом закрывается. Я встал, повернул в соседний коридор. Смотрю, кнопка лифта горит. Он у нас дурака валяет. Его не так просто с места сдвинуть. Хочет — едет, хочет — нет. Если кнопка горит, то в лифте кто-то есть. Я ручку повернул и открыл. Меня едва кондрашка не хватила. На полу лежал труп женщины. В синей длинной сорочке. И тут я получил удар в подбородок. Мощный удар. Что-то черное мелькнуло перед глазами. Похоже, он стоял правее. Дверь узкая, а лифт широкий. Можно за стенкой спрятаться. Меня отбросило назад. Я треснулся башкой о стену. Тут же потерял сознание и упал. Не знаю, сколько я провалялся. Очнувшись, понял, что лифт уехал. Он стоял наверху, в холле. Уличные двери там открыты. Иногда трупы ночью поступают. А в здании никого, кроме меня, нет. Я прошел в мертвецкую. Один стол пустовал. Только простыня на полу валялась. Столы у нас номерные. Я заглянул в журнал поступлений. Исчезла некая Елена Сергеевна Подрезкова, сорока двух лет. Доставлена сегодня в восемнадцать часов. Ну, я тут же позвонил в полицию. Они приехали. Это все, что я знаю.

— Ее домашний адрес указан?

Старик просмотрел записи.

— «Скорая» номер 1322 доставила ее с Красной горки, четырнадцать. Квартира не указана. Стоит подпись участкового. Лейтенант Юсупов.

— Квартир там нет. Частные строения, — кивнул Ильин. — Вот что, майор. Давай-ка смотаемся по ее адресу, а по ходу поищем участкового и свяжемся со «скорой». Меня больше интересует путь покойницы в морг, нежели ее уход.

* * *

Особняк пустовал. В окнах темно.

Дверь открыла горничная.

— Вы одна в доме? Мы из полиции.

На майоре был надет мундир, так что особо представляться не приходилось.

— Хозяин уехал часов в семь. Вероятно, напиваться. Я одна. Вообще работаю до трех, но он вызвал меня в связи с несчастьем.

Они вошли в дом.

— Вы знаете, где ваша хозяйка? — спросил майор.

— Умерла. Ее в морг увезли.

— Вы с ней сегодня общались?

— Да. Я прихожу к восьми утра. После обеда ухожу. Ее муж отправился на работу, а она лежала в постели. Он мне сказал, чтобы я ее не дергала. Она пришла под утро, да еще под мухой. Пускай проспится.

— Такое и раньше бывало? — поинтересовался Ильин.

— Да что уж тут скрывать. Она же директор крупного предприятия. У нее все время банкеты и деловые встречи.

— А как к этому муж относился?

— Он ученый. Вечно торчит в своей лаборатории на третьем этаже. У него всю ночь горит свет. Он не всегда знает, дома она или нет. А она никогда к нему не заходит. В общем-то, они живут каждый по себе и лишь выходные проводят вдвоем. Как голубки. Я думаю, они очень друг друга любили. Это видно.

— Вы сегодня разговаривали с хозяйкой? — задал вопрос Ильин.

— Да. Андрей уже ушел на работу. У нее в спальне шнурок висит. Она меня вызвала звонком. Я вошла. Елена Сергеевна попросила меня принести бокал красного вина. Я принесла. Она выпила. И тут я заметила, что такой же, но пустой стоит на тумбочке, а еще один пустой на ковре по другую сторону кровати. Но он упал, и вино пролилось. Я забрала все (два или три) бокалы и вымыла их.

— После этого вы не общались?

— Нет. Она заснула. Я приготовила обед, оставила его на плите и часа в три ушла. Андрей позвонил мне часов в шесть, и тогда я вернулась. Хозяйку уже увезли в морг.

Ильин подошел к кровати и взял с тумбочки сумочку из бисера. Она была достаточна увесиста. Он вывернул содержимое на кровать. Золотые побрякушки, зажигалка из золота, украшенная камешками, косметичка, удостоверение, пригласительный билет в концертный зал «Тайфун», сигареты. И еще в косметичке лежал маленький пузырек типа пробника для духов. Он был тоньше мизинца и закрыт тоненькой пробочкой. На стекляшке фломастером были написаны три цифры: 907. Ильин открыл пробку и понюхал. Запах очень слабый и необычный, а цвет розоватый.

— На духи не похоже.

Майор подошел ближе.

— Они же химики, — пожал он плечами.

— Тут только полфлакона. — Ильин убрал его в карман. — Я бы хотел посмотреть на лабораторию хозяина.

— Пожалуйста, — сказала горничная и зажгла свет на всех этажах. — Он не запирает свой кабинет. Но, кроме химикатов и его записей, вы там ничего не найдете.

Все направились на третий этаж.

— Скажите, Тарас Григорьевич, а что показало вскрытие?

— Так его не делали. Вскрытие намечалось на завтра. То есть уже на сегодня. У них свои порядки и очередь. Это же не институт судебной медицины, где мы диктуем условия. Я заказал медицинскую карту умершей. Ее привезут в морг. И врачи со «скорой» тоже туда приедут. Мы там устроили своего рода штаб.

— Ладно. Но на лабораторию я все же хочу взглянуть.

Это была огромная комната с большими окнами и тяжелыми шторами. Столы завалены колбами и книгами. Много полок, стеллажей и стекла. Майор остался стоять в дверях. Его этот хлам не интересовал. Он разглядывал потолок с красивой лепниной и шикарной люстрой. Похоже, когда-то здесь располагался танцевальный зал, если судить по паркету из разных пород дерева. Одним словом, помещение испохабили. Правда, комнат в особняке хватало. Тут можно экскурсии на целый день устраивать.

Ильин делал обход методично. Опытный глаз не упускал ничего важного. За одной из занавесок лежала скрученная веревочная лестница, на концах которой были привязаны строительные карабины. Судя по всему, она могла размотаться до земли, если ее выкинуть в окно. Ильин открыл фрамугу. На карнизе он увидел два вбитых крюка. Они соответствовали ширине лестницы.

— Боюсь, что ночная работа хозяина была лишь прикрытием. Парень куда-то бегал по ночам.

Майор лишь пожал плечами, но не тронулся с места.

— Нормальное явление для молодого парня. Их идеальные отношения были показухой.

— Вот что, Тарас Григорьевич. Пошлите людей в кабинет покойной. У нее надо сделать обыск. И еще. Уточните имя ее адвоката. Я хочу задать ему несколько вопросов. В этом доме надо оставить своих людей. Человека четыре.

— Вы думаете, она умерла не своей смертью?

— Это могло определить лишь вскрытие. Но, похоже, его не будет. Любые наши предположения не более чем пустые слова. Мы можем тешить себя лишь косвенными уликами. А этого всегда мало, если не добавить к ним чистосердечное признание. Вы верите в то, что Андрей Ефимович Коптилин даст признательные показания?

— Никогда. Против него даже косвенных улик нет. Он убитый горем вдовец.

Ильин обратил внимание на общую тетрадь. Да и то потому, что возле нее лежала ручка и тюбик клея. Похоже, ею часто пользовались.

Он пролистал тетрадь. В нее были вклеены вырезки из газет. Короткие заметки и некрологи.

Фамилии подчеркнуты красным фломастером. Ильин положил тетрадку в карман плаща. Майор этого не видел. Он в это время вышел в коридор и разговаривал по телефону, отдавая распоряжения.

Следователь тоже вышел.

Горничная проводила ночных гостей к выходу.

— Продиктуйте мне, пожалуйста, мобильный телефон хозяина, — попросил Ильин.

Девушка продиктовала, и следователь тут же набрал номер.

— Господин Коптилин Андрей Ефимович?

— Да, совершенно верно. С кем имею честь?

— У нас произошло ЧП. Вам следует незамедлительно приехать во второй морг, куда была доставлена ваша жена.

— А что случилось?

— Подробности не по телефону. Мы вас ждем.

Ильин убрал трубку в карман.

— Он должен находиться у нас на глазах, — тихо добавил Ильин.

Под проливным дождем они добежали до машины и сели в салон.

— Вы опытный поисковик, Тарас Григорьевич. Где бы вы спрятали труп? Я не говорю о могиле. Человеческое тело — не коробок спичек.

— Здесь. Начать надо с того, что мы на частной территории. Значит, для обыска нужна санкция суда. Второе. Берег реки. Тут же частный причал и множество лодок. Если привязать к трупу груз, то его и на центр реки вывозить не надо. Затопить под причалом. Там глубоко, тина, а главное, никакого запаха. С землей связываться нет смысла. Следы всегда останутся. Вывозить труп в багажнике в другой район я не стал бы. Можно на патруль напороться и время потерять. Хотя тут места удобные. Непроходимый лес и за грибами сюда не ходят. Надо же понимать, что человек, укравший труп, наделал шума с пресловутым сторожем. А значит, он должен торопиться.

— Кому, по-вашему, могла понадобиться мертвая женщина?

— Я думаю, все дело во вскрытии. Причина смерти вылезла бы наружу. И я не поверю в сказку, будто такая богатая и успешная женщина покончила жизнь самоубийством. Сорок два года. О деньгах не думала. Условия жизни всем на зависть. Молодой красивый муж, ученый. Недавно получил докторскую степень. Нет, такие женщины не кончают жить самоубийством.

— Хорошо, поехали.

* * *

Спускаться в мертвецкую никто не стал. В морге был большой холл, магазин ритуальных услуг, этажом ниже два зала для прощания, стояли не выброшенные венки, горели свечи и висели иконы. Уборку тут делали по утрам, перед открытием, так что после вывоза последнего покойника ничего не изменилось. Не очень радужная обстановка, но тратить время на ненужные переезды не стали.

Бригада «скорой помощи» получила вызов в морг после смены, а потому они приехали на своей машине и в халатах.

Врач была молода, но опытна. На выездах работала пятый год. Бойкая барышня, но очень торопливая.

— Извините, это я с вами должна поговорить? — спросила она Ильина, так как он выглядел солиднее других.

— Вероятно. Старший следователь по особо важным делам городского следственного комитета Ильин.

— Я очень хорошо помню этот вызов. Мы пробыли в особняке больше часа. Даже участкового дождались. Морг был нам по пути, и потому мы не вызывали труповозку. Мужа пожалели. Он очень переживал. Даже выл. Приехали где-то в пять. Следов насилия на теле не обнаружили. А потом, смерть от сердечного приступа не перепутаешь с удушением. Возможно, если бы кто-то находился с нею рядом, женщину могли бы спасти. Она умерла около четырех. Следов окоченения мы не заметили. Пульс не обнаружен. Зрачки не реагируют, карие глаза замутненные, давление ноль. Оформили все, как полагается.

— Я вас понял, доктор...

— Юлей меня зовут.

— А мы можем предположить, что в морге к ней каким-то чудом вернулась жизнь?

— Это называется летаргией. Сердце работает с частотой одного удара в минуту. Дыхание не прослеживается. Что мы должны определить в первую очередь? Окоченение и трупные пятна. Но для этого нам надо просидеть возле трупа не менее двух часов. А у нас четырнадцать вызовов. Но в любом случае патологоанатом не приступил бы к вскрытию, не заметив этих признаков. Он вызвал бы реаниматологов. Нашу ошибку в любом случае обнаружили бы. Кома — вещь еще не изученная.

— Значит, вы не исключаете ошибку?

— В моей практике ничего похожего не случалось. Подождем мнения патологоанатома.

— К счастью, в этом морге нет холодильных камер. А то к утру даже живой в морозилке отбросит копыта. Идите, вы свободны.

Девушка фыркнула, повернулась и ушла. И таким вот вертихвосткам доверяют человеческие жизни.

К полковнику подошел лейтенант Кандыба:

— Вот медкарта умершей. Ни одной жалобы на сердце. Поговорить мне не с кем было. Сторож поликлиники выдал под расписку. Но у меня мать врач. Я к ней заехал. Она пролистала медкарту. Карточка тоненькая, как у ребенка. У женщины было железное здоровье.

— Тут есть два варианта. Она пришла в себя сама или ее украли, пока она была в коме. Надо понимать, что труп нужен только убийце. А убийца в моем воображении не просвечивается. Скажи, а привезли ее голой?

Спросили у сторожа, тот показал шкафчик личных вещей.

— Женщину привезли в халате. В карманы я не лазил. Но ее муж приехал позже и привез ночную сорочку. Он отдал ее врачу. Видимо, не хотел, чтобы его жена лежала голой. — Именно в этой сорочке и видел покойную сторож в лифте.

Ильин проверил шкафчик личных вещей. Каждому трупу выделялся свой. В правом кармане халата лежал мобильный телефон. Последний звонок сделан с него в одиннадцать тридцать дня. Разговор длился семь минут. В другом кармане лежала визитная карточка на имя Германа Юрьевича Садовского, а в качестве деятельности указана должность «Консультант». С этим человеком покойная и разговаривала в последний раз. Ильин набрал его номер, но в ответ услышал, что абонент отключен.

— Свяжитесь с управлением, лейтенант, и установите личность неизвестного консультанта. Полагаю, он в курсе дела.

Лейтенант козырнул и отошел. Его заменил майор.

— Наши спецы уже поехали в институт. Они умеют искать. Так что кабинет Подрезковой профильтруют по полной.

Тут двери морга распахнулись, и вошел растерянный молодой человек очень приятной внешности.

Ильин тихо прошептал:

— На ловца и зверь бежит.

— Здрасте. Я Андрей Коптилин. Кто-то мне звонил. Велели срочно приехать сюда. Что-то случилось?

— Да, с таким разговор будет трудно клеиться, — так же тихо повторил следователь.

— Ваша жена сбежала из морга! — громко рявкнул майор.

Парень застыл на месте, словно его пригвоздили.

История девятилетней давности

Тане с трудом удалось выпроводить Андрея. Он ушел обиженным. Наверное, такого человека надо бы приласкать и пожалеть. Но она не могла. Смерть Лены лежала на его совести, тут и гадать не надо. С другой стороны, Таня и с себя не снимала ответственности. Она поставила перед Андреем условие: «Или я, или она!» В двадцать один год девушка обладала характером столь же жестким, что и ее соперница, хотя та была ровно в два раза ее старше. У Андрея имелся выбор. Он его сделал. Возможно, с испуга.

Елена не потерпела бы его ухода. Она безумно любила мужа, как может любить только женщина. Нет, у разбитого корыта такие дамочки не остаются. Они с Андреем в своих отношениях подошли к самому краю. И вопрос стоял ребром: кто кого опередит. В любом случае дело кончилось бы похоронами. Андрей оказался умнее. Хоронить будут ее. Но все ли он сделал так, как надо? Не заподозрила ли она его? В последнее время он носил жену на руках. Пылинки с нее сдувал. Не показалось ли ей это странным? Любящие женщины чувствуют фальшь. Их очень трудно обмануть.

Надо ждать развязки.

Таня вновь достала дневник и взялась за чтение, пролистав его на несколько страниц назад.

...Наконец-то я мог торжествовать. Сыворотка жизни была изобретена. Требовался срочный эксперимент. Раньше времени хвастаться мы не стали. Но без помощи Гальперина нам не обойтись. Мы с Белухиным пришли к нему.

— Нам нужен богатый клиент не из нашего города для эксперимента.

Он все понял, так как был в курсе наших дел. Ляле я ничего не рассказывал, зная ее страсть к сжиганию ценных материалов. Гальперин в нас верил.

— Так! — он встал. — Все плюсы и все минусы.

— Минусом станет смерть, если не вколоть сыворотку в течение суток. Но продляющий жизнь элемент непременно оставит следы на стенках желудка или в мочевом пузыре. Вскрытие это покажет, и выводы будут однозначны. Умереть мы ему не дадим, конечно. Сам эффект ошеломляющий.

— Хорошо. Мне надо подумать. Сутки или двое. Вами я рисковать не могу. Но, с другой стороны, все должно проходить на ваших глазах. Тут требуется неординарный ход. Цель — деньги. Нужны они нам или нет — вопрос десятый. Важно получить их чистым путем.

— Вот ты и займешься выкупом, а мы экспериментом.

Гальперин сдержал свое слово. Конечно, с его опытом высококлассного мента такие операции ничего не стоили. К тому же тут имел место фактор неожиданности. Человек незащищен, если не ждет удара в спину.

Клиент жил в Екатеринбурге. В доме находился один. Жена с дочкой уехали в Челябинск навестить бабушку. Нам пришлось надеть на себя маски — вязаные шапки с прорезями для глаз и рта. Самое смешное, что я не испытывал страха и даже не волновался. А мой партнер Белухин явно нервничал. Две недели наблюдений за жертвой открыли перед нами целый пласт его жизни.

Мы пришли в его квартиру заранее. Ключи у нас уже были. Сделали со слепков. Меня больше интересовали приключения, связанные с экспериментом, а не результат. О том, что нас могут арестовать, мы вовсе не думали. Во всяком случае, я. Вся эта история очень смахивала на детскую игру.

В отсутствие жены к хозяину квартиры после школы приходила младшая сестра. Так как наш герой не умел делать даже яичницу, она готовила ему обед, накрывала стол и уходила. Главное, на столе неизменно оставляла стакан томатного сока, и он всегда его выпивал. Вот в этот стакан я и вылил экспериментальный раствор. Задача была простая. Не дать клиенту умереть в течение суток. На этот случай в моем кармане был заготовлен шприц с противоядием, хранящийся в футляре.

Квартира нашего клиента имела пять комнат. Не бедный мальчик. Звали его Леонид Николаевич Нечувилин, тридцатипятилетний плейбой и очень удачливый бизнесмен. Надо сказать, что нам даже прятаться не пришлось. Придя домой, он не зашел ни в одну из комнат, а помыл руки и отправился на кухню. Мы терпеливо ждали, пока он пообедает. Пару раз я осторожно заглядывал на кухню. Меня он видеть не мог, так как сидел спиной к двери. Стакан с соком опустел. Первый шаг сделан.

Мы прятались в гостиной. Для большей внушительности я положил рядом с собой травматический пистолет, который не отличался от настоящего.

Нечувилин вошел в комнату и замер. Входную дверь мы предварительно заперли на замок. Бежать некуда.

— Маски на наших лицах, Леонид Николаевич, говорят о том, что убивать мы вас не станем. Трупы не могут описать внешность убийц. Это в кино убийца всегда ходит в маске. Оно и понятно. Личность убийцы скрывают не от жертвы, а от зрителей. Но к логике это не имеет никакого отношения. Присаживайтесь, нам есть о чем с вами поговорить. Будем вести себя цивилизованно, тогда, глядишь, и наша сделка состоится.

Мужчина оказался на удивление спокойным и не пугливым. Он прошел в комнату и сел в глубокое кресло.

— Вам, как я догадываюсь, нужны деньги? Они у меня есть. Не очень много, но есть. Вот только я снимаю со счета мелкие суммы и мое присутствие в банке обязательно. Если я возьму большие деньги, то это вызовет подозрение и служба безопасности моментально среагирует. Вас тут же схватят. А с меня глаз не спустят. Девяносто процентов вымогательств заканчиваются крахом во время передачи денег.

— Да, да. Мы все знаем. Оголять ваши карманы мы не станем. Голому человеку нечего терять. На вашем счету лежит шесть с половиной миллионов долларов. Мы возьмем миллион сто тысяч. Сто тысяч пойдут банку в качестве процентов за обналичку. Таковы их зверские правила. Ну и, разумеется, они не будут задавать вопросов.

— Мой банк будет задавать вопросы и десять процентов в свой карман не положит. Я бы хотел понять: чем вы мне угрожаете? В чем ваша фишка, что называется?

Хозяин оставался спокойным и уверенным в себе.

— Вы отравлены. Если не принять меры, то умрете в течение суток. Вскрытие покажет обширный инфаркт. Яд вы выпили вместе с томатным соком. Мы обычные исполнители. Шестерки. Если попробуете нас сдать, то умрете позже. Хотите или нет, но жидкость вам придется пить. И кто подсыплет вам яд, например, в кофе, вы никогда не узнаете. Людям, с которыми мы договариваемся, ничего не грозит. Мы о них просто забываем. Но есть и безумцы, которые сейчас лежат в могилах. Вы обычная муха в паутине. Воевать с нами бесполезно. Самое ужасное, что у следствия не будет никаких доказательств. Следов-то мы не оставляем. Никаких.

Говорил только я. Белухин словно воды в рот набрал. Он хорош был там, где делалась наука, а по жизни был ужасно скучным человеком и большим интеллектом не обладал. Я же чувствовал себя уверенно. Еще бы, имея четыре туза в рукаве.

— Ну и как вы намерены получить деньги? — спросил Леонид с усмешкой. — Поедете со мной в банк?

— Нет. В банк никто не поедет. Вы можете проделать все операции по компьютеру и подтвердить их по телефону. Процедура долгая, но надежная.

— Но вам же нужны наличные? — удивился хозяин.

— Конечно. Для этого мы открыли счет в Челябинске на вашу жену. По ее паспорту. Он нам понадобился на два часа. Она даже этого не заметила. Так вот, вы перечисляете один миллион сто тысяч на счет вашей жены. Не думаю, что это будет выглядеть подозрительно. Она хочет купить для вас подлинник Рубенса. Вы же коллекционируете старых голландцев. А они стоят дорого. Ваша жена возьмет такси, поедет в банк, снимет деньги, положит их в портфель. Потом сядет в то же такси и поедет в галерею. Выходя из машины, она возьмет другой портфель. Точную копию первого, но не с деньгами, а с газетами. Через десять минут она может поднять тревогу. Все очень просто. Ваша дочь в этот момент будет находиться под пристальным вниманием наших людей. Если операция пройдет чисто, вам нечего опасаться.

Нечувилин побледнел. То ли его взволновала история с дочерью, то ли лекарство начало действовать.

— Поднимите левую руку.

— Не могу. У меня немеет тело.

— Все правильно. Ваш организм переходит в спящий режим. Через час вы будете не способны пошевелить даже веками. Кислород в крови будет падать. На отметке двадцать ваш мозг умрет, давление скатится на ноль. Сердце будет делать не больше одного удара в минуту. Вы будете питаться внутренними ресурсами организма. Но голова будет работать и сознание тоже. Если мы вызовем врачей, они констатируют смерть. Однако вы будете еще живым. Тело не окоченеет и трупные пятна не появятся. Но могильщиков такие мелочи не интересуют. А если заплатить четвертной патологоанатому, то он и вскрытие делать не станет. У них хватает работы. Запишет в журнал то, что написано в заключении врачей «скорой помощи», и поставит на вас крест. Вас могут похоронить, пока вы еще будете живы.

Мы с Кешей переложили бедолагу на диван и подсоединили к нему приборы.

— Пока у вас голова кумекает, вы должны обдумать наше предложение. Как видите, мы народ серьезный и очень мало похожи на шутников. Однако смеемся всегда последними.

Я принялся расхаживать по комнате, поглядывая на приборы. Схема должна сработать, если ее придумал такой стратег, как Гальперин. Он двадцать лет своих же ловил, оборотней в погонах, и занимался только крупной рыбой. Гнилье насквозь видел. Конечно, он и сам гнида похлеще многих, но ведь выкрутился и, увешанный орденами, вышел в отставку. Не зря Леночка его своим замом сделала. Он еще и отличным прикрытием стал. О нас забыли, будто института вовсе не существовало.

Я посмотрел на часы.

— Давай-ка, дружок, вернем его к жизни. Кажется, он уже осознал свое положение. Но в следующий раз мы его спасать не станем.

Я достал футляр, вынул из него шприц с длинной иглой и, как убийца нож, всадил иглу Нечувилину в сердце. Укол, он и есть укол. Я отпрянул и стал ждать реакцию. Это и была моя главная работа, а миллионы меня не интересовали.

Леонид вздрогнул, глубоко, с хрипом вздохнул. Его начало трясти, при этом он обливался потом. Мы с Кешей следили за ним и за приборами. Начал прощупываться пульс, росли давление и количество кислорода в крови. На полное восстановление ушло полчаса.

Мы усадили Нечувилина в кресло. Он практически лишился сил.

— Пошевелите левой рукой.

Кисть задвигалась.

— Вот так, Леонид Николаевич. Жил себе человек, не тужил, и на тебе — бац и в гробу.

— Я все сделаю, что вы скажете.

— Отлично. Итак, банк открывается в девять. Для начала позвоните управляющему и сообщите о своем решении купить Рубенса по рекомендации жены. Он вам сам расскажет, как быстрее переправить ей деньги. Времени у вас в обрез и в банк приехать вы не можете. Достаточно того, что у них есть ваша электронная подпись, а у вас номер счета жены. Вы же не на деревню дедушке деньги отправляете, а близкому человеку.

— Схему вашу я понял. Меня беспокоит дочь.

— С ней ничего не случится. Если ваша жена не наделает глупостей. После банка позвоните ей и, не вдаваясь в подробности, дадите все инструкции. Ну а на сегодня все.

* * *

Дверь открыла женщина. Молодая, симпатичная. Взгляд ее был немного напуганным.

— Извините. Я таксист. Мне дали ваш адрес. Я должен отвезти вас в банк, а потом вернуть домой.

— Я в курсе. Подождите внизу, я сейчас спущусь.

— Как прикажете.

Совершенно обычный мужик, на бандита не похож. Анна взяла сумочку с паспортом и вышла на улицу. У подъезда стояла обычная «Волга» — такси желтого цвета, разрисованное в шашечку.

Анна села в машину, на сиденье лежал кейс. Инструкции мужа показались ей более чем странными. Но она не привыкла с ним спорить. Надо сделать все, как он велел. Нет сомнений, что ему грозит опасность. Ничего похожего в их жизни не случалось. Машина быстро доехала до банка. Анна взяла кейс и направилась в банк. Похоже, ее там ждали и провели в отдельный кабинет, где находились трое мужчин.

— Деньги для вас готовы, Анна Алексеевна. Они в этом чемоданчике. Из общей суммы вычтено десять процентов. Вы с нашими правилами знакомы. А теперь, если не секрет, для чего вам нужна такая крупная сумма наличными?

Вопрос задал солидный мужчина, очень похожий на банкира, какими она себе их представляла.

— Эти деньги идут на покупку полотна известного художника. Продавец пожелал остаться неизвестным. Потому и потребовал наличные.

— Но это же очень рискованно. Вам могут подсунуть фальшак.

— Не думаю. Этого продавца мы хорошо знаем. Не первый раз имеем с ним дело.

— Хорошо. Тогда выполните нашу просьбу. Оставьте свой кейс здесь и возьмите наш. Тем более что он уже упакован.

— Я надеюсь, здесь нет подвоха и деньги в нем настоящие. В конце концов, они принадлежат нашей семье.

— Мы несем за них ответственность, пока они находятся в банке. Как только вы вынесете их за порог, мы за них не отвечаем. Если желаете, то можем предоставить вам вооруженную охрану.

— В этом нет необходимости. Меня ждет такси.

Анна открыла кейс и пролистала несколько пачек. Подвоха она не заметила, но поняла, что кейс оборудован маячком. Они будут следить за ней через спутник. Этот вопрос ее не беспокоил.

Она закрыла кейс, вышла из банка и села в такси.

— Поехали домой.

— Вам поменяли кейс? — спросил шофер.

— Да, причем настойчиво.

— На полу под вашим сиденьем лежит черный рюкзак. Переложите деньги в него.

«Значит, и шофер в их банде, — поняла Анна. — А по виду не скажешь». Деньги она переложила, как ей и сказали.

На одной из улиц такси свернуло на подземную стоянку. Это был длинный коридор, заставленный машинами.

— Выкиньте рюкзак в окно. Быстро.

Анна открыла окно и выкинула рюкзак. Людей она здесь не видела, кроме уборщицы с ведром, перед которой они слегка притормозили. Машина доехала до конца и выехала на другую улицу. Кейс все еще лежал у нее на коленях. Таксист довез ее до дома. С ним пришлось расплатиться. Она вернулась с пустым кейсом. Больше ее никто не беспокоил. Очевидно, они караулили продавца картин. Кто-то должен прийти за деньгами.

Анна позвонила мужу. Разговор был коротким: «Деньги получила».

Уборщица на подземной парковке подняла рюкзак и быстро бросила его в багажник стоящего рядом БМВ. Она еще около часа мыла полы. Машины заезжали и уезжали. Потом она оставила ведро, швабру, скинула косынку и халат и бросила их в ведро, превратившись в элегантную даму, очень похожую на кинодиву пятидесятых Лану Тернер. Такие дамы не ездят на «Жигулях». Она села в тот же БМВ и спокойно выехала с подземной парковки.

* * *

В квартире Нечувилина раздался телефонный звонок. Леонид снял трубку.

— Кажется, это кого-то из вас.

Я взял трубку.

— Это я, милый. Отъехала от города на сотню километров. Мне никто не мешает. Везу тебе посылку с вкусненьким от любимой тетушки. Возвращайся домой и жди меня. Я страсть как соскучилась.

— Будет сделано, мое солнце.

Я вынул батарейку из мобильника хозяина и сломал розетку городского телефона.

— Спасибо, Леонид Николаевич. Вы должны остаться довольны. Мы не раздели вас догола. О случившемся никому не рассказывайте. Вам все равно не поверят. А если поверят, то прекратят доверять. Вы успешный человек. Вам надо держать марку. И дело не в миллионе. Вы не должны выглядеть неудачником или проигравшим. Дважды в одну реку мы не входим. Так что нас вы никогда больше не увидите. Удачи в делах.

На всякий случай я его запер в его же квартире. Жена приедет и откроет, а ему надо поднабраться сил после такого стресса. Этот парень мне понравился. Ни трус, ни паникер, хорошо воспитан и умеет трезво мыслить.

Но сейчас мы с Кешей ни о чем не могли думать, как только о нашем эксперименте. Нас не волновали деньги и гениальный план Гальперина. Самым важным была удача.

— Есть один недостаток, Кеша, — задумчиво бормотал я, садясь в машину. — Парень выглядел настоящим трупом. Тут сомнений быть не может. «Скорая помощь» не будет сидеть возле покойника три часа, ожидая, когда на нем появятся трупные пятна и наступит окоченение. К тому же у него остекленели глаза, но не помутнели. Боюсь, на свет они могут среагировать. Тогда врач «скорой» вызовет реанимацию.

Белухин отрицательно покачал головой.

— Пока ты трепался с этой мумией, я думал. У «скорой» нет таких приборов, как у нас. Они не смогут определить состав кислорода в крови. Ты должен понимать, что фельдшер «скорой» ждать не будет. Человек мог умереть пять минут назад. Они констатируют смерть. Даже если ты воткнешь в него иглу, клиент не среагирует. Мышцы атрофированы. А по поводу глаз, надо достать хорошие замутненные линзы. Лучше карие. Врачи не знают, какого цвета у покойного глаза. Главное, чтобы зрачков не было видно. Человек умер, и точка. Я говорю о тех случаях, когда клиент не пошел на наши условия.

— Предназолин останется в крови. Его обнаружат. Отравление налицо.

— И тут, Андрюша, ты не прав. Мы оживим клиента, предназолин растворится и выйдет с мочой. Мы якобы идем на попятную и заключаем мировую. Ради этого и коньячку можно выпить. А вот в коньяк мы ему добавляем восемьсот пятый препарат. Впрочем, эту идею надо обсосать. В любом случае безвыходных ситуаций не бывает.

— Он не станет с нами пить, — разозлился я.

— Хорошо. Дадим ему восемьсот пятый как лекарство для спасения. Выпьет. Ну и на самый крайний случай оставим у трупа пузырек с предназолином.

— Проще купить цианистый калий или яд кураре. Предназолин достать невозможно. О его существовании не все химики и фармацевты знают.

— Патологоанатомы знают. А где взял — пусть спросят у покойничка. Ты должен понимать главное. К тебе могут обратиться за консультацией как к ученому, но только не как к подозреваемому. Ты даже не слышал имени покойного. Тебя с ним ничего не связывает. С какой радости молодой талантливый ученый с именем пойдет работать киллером? Смешно. Тем более что сегодня у каждого богатого человека врагов полные закрома, а друзей днем с огнем не сыщешь. Если будет доказано убийство, то его свяжут с профессиональной деятельностью покойника. Других версий не выдвигается. Это же шаблон. Вся жизнь плывет по течению. А мы с тобой бунтари. В самом прекрасном смысле этого слова. Ты представляешь, мы можем жонглировать жизнью и смертью, как циркачи под куполом.

Да, конечно, Белухин говорил правду. Если смотреть ей в лоб. Если глянуть на нее со спины, то станет страшно. Я не любил скептиков и не заглядывал в черные углы.

* * *

В особняке мы устроили вечеринку в честь удавшегося опыта. Какого? Об этом вслух не говорили, а многие просто не знали, о чем идет речь. Моя лаборатория радовала институт открытиями. Но все они носили гриф «секретно», оттого и тосты поднимали за успех. Тогда я впервые заметил этого типа. Достаточно зауряден, лет сорока пяти. Просто он чаще других разговаривал с моей женой в сторонке, и оба искоса бросали на меня взгляды. Ревновать Лену было глупо. Я знал, что значу для нее, она меня обожала, «носила» на руках, выполняла все мои капризы и была лучшей любовницей из всех женщин, которых я знал. Мы по-настоящему были счастливы. И все же этот тип меня раздражал. Я понимал, что они говорят обо мне. Подходить к ним я не стал. Слишком много чести. Но я заметил, что незнакомец общался и с правой рукой моей жены Ильей Гальпериным. Тут я своего шанса не упустил и спросил Илью:

— Что это за тип? Приводят людей в мой дом и даже не знакомят со мной.

— А это Герман Садовский. Адвокат, или поверенный, твоей жены. Очень опытный ходок по делам. Какие он выполняет поручения, я не знаю. Это не мое дело. Тем более что из него лишнего слова не вытянешь.

— И давно он на нее работает?

— Очень. Еще при жизни первого мужа вел ее дела. Так что у тебя, Андрюша, разрешение спрашивать поздно. Но я знаю, что он оберегал ваш покой от любопытствующих, когда вы жили в рыбачьей хижине.

— Любопытный фрукт.

Гости разъехались поздно. Наконец-то мы добрались до своей спальни.

— Я рада за тебя и твой успех, милый. Никогда в тебе не сомневалась. Таким и должен быть истинный мужчина. Сегодня я открыла счет в банке на твое имя и положила на него двести пятьдесят тысяч долларов. Если наши успехи будут продолжаться, то скоро ты станешь богатым человеком.

— Меня не интересуют деньги, дорогая. У меня все есть. Я даже зарплату приношу в дом и складываю ее в шкатулку на камине. Но ты из этих денег ничего не берешь.

— Интересно, как ты запоешь, когда я умру? Тебе достанется только усадьба. А ее надо содержать, это не сарай. Одной зарплаты не хватит.

Я рассмеялся, не отрывая от нее глаз, — в этот момент Елена раздевалась.

— Еще не известно, кто из нас умрет раньше.

— Я, разумеется. Ты моложе меня на пять лет и ты не сделал столько абортов, сколько я. До того, как Зяма женился на мне, я была уличной шлюхой. Точнее, девочкой по вызову. По брачному договору ты должен целый год быть в трауре, без женщин, иначе денег тебе не видать. А разве ты сможешь? Нет, конечно. Так что счет тебе пригодится. Деньги надо зарабатывать на старость. Мне кажется, я в гробу перевернусь, если ты коснешься чужого женского тела.

— Ну а кто будет проверять мою так называемую верность? Не тот ли тип, что сегодня болтался в гостиной и шушукался с тобой?

— Да. Он профессионал высокого класса.

Лена открыла свой сейф в спальне, содержимым которого я никогда не интересовался. Брачный контракт подписал, не читая. Голова была забита только невестой. Завещание меня не интересовало. Мы были слишком молоды.

Лена достала пачку фотографий и газету. На первом снимке был изображен я, выходящий из машины у вокзала. На другом договаривающийся с проводницей. На обратной стороне стояли ее паспортные данные. На третьей фотографии меня не было. Зато была та же проводница с газетой за то число, когда я ездил в Омск, и оно хорошо просматривалось. Далее шел снимок, на котором я входил в отель, над которым светилось табло с числом, месяцем и временем. Следующий — мой разговор с Зямой. Снимок наверняка сделала Оксана. Только она могла видеть, как я к нему заходил. На следующих фотографиях был зафиксирован мой выход из отеля и то, как я сажусь в вагон той же проводницы. После фотоколлекции шла газета с некрологом о смерти Зямы.

— И что из этого? Я пошел на убийство ради любви к тебе. И не жалею об этом. Просто освободил твоих шестерок от лишних забот.

— Это было твоим испытанием, Андрюша. Ты справился с ним блестяще. Я поняла, что с таким мужчиной можно идти до конца. И еще. Мне ты об этом не сказал. Это тоже плюс. Тебя интересовал результат, а не бахвальство, будто ради меня ты решился на что-то страшное. Ты меня получил.

И я ни секунды не жалею об этом. Ну а снимки я тебе показала для того, чтобы ты оценил профессионализм Германа. В моем положении такой человек необходим. Только не ревнуй меня к домашним псам.

Она стояла передо мной, в чем мать родила, и я уже ни о чем другом думать не мог.

Гораздо позже выяснилось, что после каждого нашего эксперимента мой счет в банке пополнялся на следующий день. И еще я не знал, что нашелся один придурок из числа наших жертв, который все в подробностях рассказал следователю прокуратуры. Доказательств он привести не смог, но сам факт заинтересовал следствие, и они привлекли экспертов высшего порядка. Но те топтались на месте. Гениев среди них не нашлось. Зато Гальперин отточил операцию до совершенства, и мы никогда не повторялись.

Сегодняшний день

Конечно, несчастный вдовец тут же приехал в морг. В его глазах читался не испуг, а, скорее, непонимание. Его встретили без слов, посадили в лифт и спустили в мертвецкую. Для начала следователь Ильин провел его во второй зал, где стояло около двадцати блестящих металлических столов с телами, которые были накрыты белыми простынями и на ногах которых висели бирки с номерами. Один стол пустовал.

4 Зак. 1467

— На том столе, который сейчас пустует, лежала ваша жена, — тихо начал Ильин. — Сегодня в районе часа ночи труп исчез.

— А вы, собственно, кто?

— Городской следственный комитет. Старший следователь по особо важным делам Ильин.

— Бог мой! А почему министра не вызвали? — Голос Андрея подрагивал, и он нес всякую чепуху от растерянности.

— Я уже закончил все свои дела. На днях ухожу в отставку. Это дело мне дали в довесок, так как в нем не видят сложности. Думаю, к утру мы его закончим.

— Объясните мне, господин Ильин, чем я могу вам помочь? У меня нет никаких объяснений случившемуся. Это какой-то бред. Разве морг не охраняется?

— Морг располагается на территории больницы. Он даже не запирается. Сторож часто выходит на улицу покурить и ему лень таскать с собой связку ключей. Больница окружена забором из стальных копий под три метра в высоту. Мои люди обошли огромную территорию вдоль забора и обнаружили несколько дыр. Некоторые звенья выпилены ножовкой. Скорее всего, это работа пациентов больницы из числа любителей выпить; две лазейки находятся напротив винного магазина. Охранник только один. Он на воротах. Поднимает и опускает шлагбаум. С рабочего места не отлучался. Здание морга мы проверили. Каждый закуток.

Ничего не нашли. Покойники ходить не умеют. Значит, вашу жену унесли.

— С какой целью? — удивился Андрей.

— Причины непонятны. Следов нет. Ни в зале, ни уж тем более на улице. Идет дождь. Осень. Кругом лужи. Правда, недавно мы обезвредили банду врачей, которые выкрадывали трупы из моргов. Но только очень свежие. И не по одному. Речь шла о торговле человеческими органами. В нашем случае этот вариант не подходит. Извините, но ваша жена была не очень молода... Скажите, у вас или у вашей жены были враги, которые таким образом хотели вам сделать пакость?

— Нет. Мы вместе работали в НИИ Менделеева. Я доктор наук, руковожу лабораторией, где работают мои ученики. Я ими доволен, они довольны мной. За пятнадцать лет я получал только благодарности. С персоналом в отличных отношениях. Моя жена занимала должность директора. Прекрасный менеджер, и ею все были довольны. Ни о какой мести говорить нельзя. Даже смешно.

Ильин выглядел задумчивым профессором. Он никак не подходил на роль следователя. Рафинированный интеллигент. Андрей не воспринимал его всерьез.

В зал вошел мужчина в мундире майора полиции. Присутствие постороннего его не смущало.

— Мы отследили ее последний звонок в полдень. Она звонила на городской Герману Юрьевичу Садовскому. Его адрес: улица Павла Корчагина, дом восемь, квартира пятнадцать. Разговор длился пятнадцать минут. В настоящее время телефон не отвечает. В визитке, которую мы нашли у покойной, сказано, что Садовский руководит детективно-охранным бюро «Кентавр». Мы позвонили туда. На месте оказался дежурный. Доложил, будто Герман Садовский срочно выехал в командировку. Куда, сказать не может. Не знает. Будет только завтра.

В зал заглянул лейтенант.

— Павел Михайлович, там приехал главный патологоанатом из института судебной экспертизы. Вы хотели с ним поговорить.

— Да-да. Сейчас иду.

— Я могу ехать? — спросил Андрей.

— Нет, вы будете нам еще нужны.

— Тогда позвольте мне выйти на улицу покурить.

— Пожалуйста. Только не отходите далеко.

— Да нет, я возле дверей постою. Тут слишком специфический запах.

Они вышли из мертвецкой. Андрей знал патологоанатома. Это был известный человек в своих кругах. Человек опытный, а главное, не лишенный чутья. Наверняка он тоже будет задавать вопросы. Тут главное соблюдать спокойствие. Надо изобразить из себя тугодума и отвечать безошибочно. Нельзя врать по пустякам.

Андрей вышел на улицу, достал мобильный телефон и тут же позвонил Тане:

— Слушай меня внимательно, девочка. В моем доме никакого компромата нет. Искать его надо по адресу: улица Павла Корчагина, дом восемь, квартира пятнадцать. Хозяина дома нет. Я уже понял, что задумала моя жена вместе с неким Германом Садовским. Если у него есть наши фотографии, тогда она знала о нас и вся эта история переворачивается с ног на голову. Ты должна сделать все, чтобы попасть в его дом.

— А почему ты сам не хочешь к нему сходить?

— Я в морге на допросе. Труп моей жены исчез. Боюсь, меня не скоро отпустят.

— Ты арестован? — взволнованно спросила девушка.

— Нет. У них нет оснований. Долго держать они меня не посмеют. Делай, что я говорю. Это важно. Люблю тебя, мое солнышко.

— Андрюша, сотри наш разговор. И вообще удали все контакты. Звони сам. Я могу попасть не вовремя.

— Умница. Я так и сделаю.

Андрей очистил свой телефон от всех контактов. Докурил и вернулся в морг.

В коридоре мило беседовали патологоанатом и следователь. Завидев Андрея, они пригласили его к столу. Он неторопливо подошел и сел на свободный стул.

— У меня есть к вам необычные вопросы, Андрей, — начал врач. — Ваша жена не страдала шизофренией?

— Нет. В ее медицинской карте все должно быть указано. Она лежит прямо перед вами.

— В психоневрологическом диспансере свои карты. К ним не так просто подобраться. Давайте я поясню. Если труп украли, то его поисками занимается полиция. Я не хочу сейчас концентрировать на этом свое внимание. Мы попытаемся пойти своим путем. Что нам известно? «Скорая помощь» поставила диагноз и привезла труп в морг. Все. Здесь его даже не осмотрели. У потрошителя местного разлива было три вскрытия. Когда он закончил, то свалил домой, а за это время у него скопилось шесть новых трупов. Его можно понять. Их здесь двое и работают через день по двенадцать часов. Давайте представим невозможное. «Труп» встал и ушел самостоятельно либо с чьей-то помощью. Если ваша жена была психически больна и скрывала это от вас, судить ее за это нельзя. Возможно, принимала нейролептики. А такие лекарства могут вызвать каталепсию. Это длительное пребывание в неподвижной форме. Причем мышцы не подчиняются воле человека. Такое может случиться при долгом приеме допамина или галоперидола. Они вызывают экстремальное напряжение сердца. Вот почему врачи определили у нее инфаркт. Причем в заключении нет ни слова о трупных пятнах или окоченении. Зрачки помутневшие. Осмотр проводился бегло. Что вы думаете на этот счет?

Андрей долго думал.

— Я ушел около девяти, а пришел с работы в пять часов. У меня сегодня был трудный день. Возвращаюсь домой и вижу, жена мертва. Я решил, что она покончила жизнь самоубийством. Причины мне были непонятны. Она лежала на постели в подвенечном платье и фате. Руки на груди, как у покойника в гробу. Бледная. Пульса нет, дыхания тоже. Я тут же вызвал «скорую помощь». Но оставлять ее в таком виде не решился. Снял с нее платье, надел лежащий рядом халат и набросил на нее одеяло. Я плохо разбираюсь в медицине, а потому не сомневался в том, что она мертва.

Следователь подозвал к себе майора, стоявшего в сторонке.

— Тарас Григорьевич, будьте так любезны, найдите горничную, с которой мы сегодня общались, и срочно ее сюда. Если надо, то под конвоем.

— Будет сделано.

Майор ретировался.

— У вас железное алиби, Андрей Ефимыч, — продолжил следователь. — Вас весь день видели на работе. Звонок Герману Садовскому с телефона вашей жены прозвучал в полдень. А значит, она была жива и здорова. Горничная ушла в три. Вы вернулись в пять. Нам надо проследить все последние часы ее жизни. Да, и вот что еще. Мы нашли в косметичке покойной странный пузырек. Заполнен наполовину. Может быть, это и есть яд.

Он достал из кармана пробирку с препаратом 907 и передал патологоанатому. Андрей не ошибся в своих выводах.

Тут вошел капитан.

— Мы нашли еще какой-то флакон, на нем написано лишь число: восемьсот пять. Флакон был спрятан в сейфе покойной в специальной коробочке и обернут ватой. Думаю, это важная улика.

— Отлично. Сейчас же подниму на ноги всех экспертов по химии из нашего техотдела. Они люди очень опытные.

— Извините меня, — вытирая пот со лба, сказал Андрей. — Я, пожалуй, выйду покурить.

— Да-да, пожалуйста.

Он вновь вышел на улицу и тут же закурил.

«Что же произошло? Надо восстановить ход событий. Лена обо всем догадалась. Она пришла под утро с головной болью. Обычное похмелье. Я ушел на кухню, накапал ей восемьсот пятый препарат в бокал и отнес в постель. Вот тут и случился этот идиотский звонок. Телефон стоял в коридоре. Я отлучился на мгновение. Снял трубку, но мне никто не ответил. Значит, Лена приняла у меня бокал и под одеялом нажала кнопку мобильника — зазвонил городской телефон. Я вышел, а она поменяла бокалы. Второй с девятьсот седьмым препаратом стоял у нее за кроватью. Я видел пятна на ковре. Два красных кружка от одинаковых бокалов. Один упал и разлился. Но какой и с чем? Когда я вернулся в комнату, она пила вино. Я успокоился. Мне показалось, что она ничего не подозревает. Уговаривала меня заняться с ней любовью и плюнуть на работу. Я все же вырвался из ее объятий. Меня уже второй год от нее тошнит. Чего мне стоило разыгрывать любовь, чтобы только она оставалась спокойной. Закрывал глаза и представлял себе Таню. Моему терпению пришел конец. Немного нервотрепки и все кончится. Но эта стерва меня все же обхитрила. После восемьсот пятого препарата к двенадцати часам она и глазом моргнуть не смогла бы, не то что звонить своему поводырю. А это платье? Дешевый трюк. Хотела меня напугать? Нет, она включила мне мозги, и я начал действовать по-своему.

Хватит паниковать. К утру все встанет на свои места».

* * *

Таня оказалась девушкой не из робкого десятка. Ночной дождливый город с сильным ветром шел ей навстречу. У нее был старенький «Форд», который работал безотказно. Она приехала на улицу Павла Корчагина. За Андрея девушка не волновалась. У него были железные нервы. Мало того, ученого с именем и безупречной репутацией невозможно обвинить в убийстве, не имея трупа, следов и при наличии алиби. Если труп выкрали, то его надежно спрятали. Закопали в земле. Тут кругом леса. Перерыть всю округу невозможно. Но о связи Тани с Андреем могут докопаться, если Лена пользовалась услугами частного сыщика. А это уже повод для обвинения. И хуже всего, если всплывет ее имя в этой неприглядной истории.

Она вышла из машины и проникла в подъезд четырехэтажного дома. Квартира номер пятнадцать находилась на третьем этаже. Замок на квартире был крепким. Таня не умела пользоваться отмычками, да их у нее и не было. Она обратила внимание на окно в подъезде, подошла к нему и распахнула. До окна в квартире Садовского было не больше трех метров. К тому же оно оказалось приоткрытым. Под окном шел узкий карниз из жести с небольшим уклоном. Но по самой середине пути проходила водосточная труба. На карниз можно вылезти и по нему добраться до окна. Но держаться не за что. Она соскользнет вниз. В лучшем случае переломает себе ноги, в худшем — погибнет, если ударится головой. И непонятно, крепко ли держится труба. Риск себя не оправдывал.

Таня вышла на улицу. Ощупав трубу, она удостоверилась в ее крепости. Надо начинать снизу. От трубы до окна не больше метра и у подоконника есть хороший выступ. Правда, он скользкий и мокрый. Думать не приходилось, надо действовать. Она сбросила с себя плащ и выдернула из него пояс с металлической пряжкой. В детстве она часто лазила по деревьям и навыки у нее сохранились. Одна беда. Труба металлическая и скользкая, но крепежи, связывающие ее со стеной, располагались близко друг к другу. Ноги скользили по трубе, брюки на коленках порвались, руки кровоточили, но она упорно, шаг за шагом продвигалась вверх к намеченной цели.

Ей удалось добраться до третьего этажа. На ее счастье, на раме стояла стальная перемычка. Ограничитель открытия окна с бородками. Она регулировала раздвижение рамы и не позволяла ей болтаться от ветра. Таня с третьей попытки накинула на ограничитель пояс от плаща и натянула его. Немного подергав, она убедилась в его надежности. Резко спрыгнуть с трубы опасно, и она встала на карниз, обмотав кисть руки поясом. Удержалась. Так, наматывая на руку пояс, она дошла до рамы и вцепилась в нее. Только после этого Таня смогла вздохнуть с облегчением.

Еще несколько энергичных движений — и она оказалась на подоконнике. Чернота комнаты ее пугала. Ощущение, словно смотришь в глубокий колодец. Вид из окна на парк. Домов напротив нет. Фонаря тоже. Придется включить свет.

Таня спрыгнула на пол и, выставив руки, медленно двинулась вперед. Пару раз натыкалась на мебель, потом добралась до стены и нащупала выключатель. От света ей пришлось прищуриться.

Вскоре она привыкла к освещению и осмотрела комнату. Маленькая узкая больничная кровать, никаких ковров, дощатый пол, зато стены украшены старинными картинами в рамах из резного багета. Стиль известный. Эти работы принадлежали фламандцам. Портреты женщин с пышными формами и натюрморты. Увидев фрукты на картинах, Таня вспомнила, что сегодня еще не ела. У окна стоял компьютер, на столе валялось множество дисков. В углу шкаф с книгами, рядом платяной шкаф с одеждой, несколько кресел и диван. Достаточно скромное жилье. Тане показалось, что это не единственная квартира хозяина. Судя по всему, у этого человека должны быть деньги. В его возрасте так не живут.

Она села за компьютер и включила его. Пароль машина не затребовала. Значит, хозяин не боялся жуликов и непрошеных гостей. Папок с файлами тут было немало. Таня открывала одну за другой, но ничего важного для себя не находила. Судя по снимкам, этот человек специализировался по слежке. Разные люди в разных местах, и никто не знал, что их фотографируют. Наконец она и до нужной папки дошла. Здесь было не меньше двадцати фотографий ее и Андрея. Но как ему удалось сфотографировать их в постели? О том, где она живет, не знал никто. Андрей приезжал только утром или поздно ночью. А снимок сделан так, будто этот тип находился в их комнате. Значит, он проник в квартиру раньше и затаился в укромном месте. Скорее всего, в чулане и снимал телеобъективом. Лица и остальное крупным планом. Таня подключила свой смартфон к компьютеру и перекачала папку, посвященную их с Андреем роману, после чего начала форматировать жесткий диск. Так, чтобы на нем ничего не осталось. Пока стиралась вся информация с компьютера, она провела небольшой обыск. Между книгами нашла три сберкнижки на предъявителя. По два миллиона рублей на каждой. Таня оказалась права. Этот человек не бедствовал, а еще эти картины. Они очень походили на подлинники. А если так, то их цена не ниже миллиона долларов за каждую. Надо полагать, он никого сюда не приводил. Если уж она сюда влезла, то ворам проникнуть в святая святых и вовсе пустяк. Но вот вопрос: откуда Андрей узнал этот адрес? Герман работал на его жену, а не на Андрея. И Лена наверняка уже видела все фотографии. Значит, ее убийство было неизбежно. С ее связями эта женщина не дала бы им жить по-человечески. Андрей не дурак, но с женой ему было бы не справиться.

Таня осмотрела шкаф с одеждой — отличный выбор костюмов, пальто и плащей. Она начала методично проверять карманы одежды. В одном из пиджаков нашла паспорт на имя Германа Юрьевича Садовского. Лицо на фотографии ей ни о чем не говорило. Таких часто встречаешь, и они не запоминаются. А вот прописка сказала о многом. Садовский проживал на проспекте Гагарина, дом пять, квартира сто шестьдесят один. Квартира на Корчагина играла роль мастерской, но Андрей назвал именно этот адрес и велел ей искать компромат здесь. И она его нашла. Паспорт Таня решила взять с собой. В другом кармане она нашла связку ключей, похоже, от дома, и один ключик отдельно. На нем стоял номер 98. Она догадалась, что этот ключ от камеры хранения на вокзале. Там же лежал миниатюрный кассетный диктофон. В него была вставлена чистая кассета. Новые находки Таня тоже забрала с собой. Больше ее ничего не интересовало, и она ушла через дверь, защелкнув ее на замок.

Первым делом она поехала на вокзал. Камера под номером 98 открылась легко. В ней лежала обувная коробка, забитая кассетами от диктофона. Таня ее взяла и тут же вернулась в машину. Она прослушала только одну кассету, как ее планы резко изменились. Она на большой скорости двинулась в сторону дома. Вернувшись, она тут же достала дневник Андрея из тайника. Ей надо было сверить услышанное на кассете с тем, как трактует эти же события ее любовник.

Девять лет назад

Это случилось семнадцатого сентября. Опять осень. Можно подумать, других времен года не существует. И опять ночь, и опять дождь.

Мы слишком часто стали ездить на вечеринки. Похоже, за год семейной жизни Лену утомила постель. Ей хотелось блистать в свете. Конечно, я любил эту женщину, но со временем она стала резче, грубее и все чаще устраивала мне сцены ревности, особенно в подвыпившем состоянии. А пить она стала много. Я приходил с работы позже ее, а она сидела уже пьяненькая. У нее возникла бредовая идея, будто я трахаюсь в ее кабинете прямо на рабочем столе с Оксаной, которую она держала при себе. Лена редко бывала на работе, но ей хватало и трех дней, чтобы сделать все свои дела. Она завела себе конюшню и объезжала молодых жеребцов. Настоящим жеребцом был ее конюх. Молодой блондин с голубыми глазами. Глуп, как пробка, но чертовски красив. Я не ревновал. Не имел такой слабости. А ей, вероятно, очень хотелось, чтобы я устраивал ей сцены ревности. Ее устраивало любое внимание с моей стороны. Даже побои стерпела бы. Мазохистка.

Я же не изменился. Большую часть времени посвящал работе. А теперь, когда появилась побочная деятельность, как ее называл мой партнер Кеша Белухин, я уже стал мастером своего дела. Идеи Гальперина поражали своей фантазией. Но главное, что он доверял мне и позволял импровизировать. И тут я понял, что своей импровизацией довожу каждый эпизод до совершенства.

Но все это быт, повседневная трясина, к которой я привык и которая меня устраивала. Я слишком мало видел в жизни, чтобы хотеть большего. Жизнь я видел в книгах. Много читал, но ни о чем не мечтал.

В тот вечер она опять напилась. Домой мы возвращались поздно ночью. Видимость из-за дождя была кошмарной, а Ляля не умела ездить нормально. Она во всем была максималисткой. А я еще сдуру пустил ее за руль. Но в таком состоянии с ней лучше было не спорить. Мы проехали не больше километра и спускались к реке. Тут можно свернуть либо вправо, либо влево. Прямо стоял бетонный забор: огораживал ремонт набережной, которую обкладывали гранитом. Перед поворотом надо было притормозить. Машина у нас тяжелая, шестиместный джип «Линкольн». Настоящий автобус. А тут, как назло, по набережной мчался «Фольксваген жук». Божья коровка по сравнению с нами. Так вместо тормоза Ляля нажала на газ. Кошмарное зрелище. Наш танк врезался в бочину «жуку». Мы его снесли с дороги, протащили по асфальту и вмазали в забор. Да так, что от него одна лепешка осталась, а мы лишь «кенгурятник» немного погнули. Это такая стальная дуга перед капотом. Своего рода предохранитель. Я выскочил из машины и бросился к «жуку», но, кроме крови на стеклах, ничего не увидел. Лена сдала назад. Она даже из машины не вышла, а лишь открыла окно.

— Иди сюда и садись за руль. Надо сматываться.

— Им нужна помощь!

— А тебе тюрьма! Их теперь отскребать надо. Живо за руль! Надо уходить!

За моей спиной маячила не одна смерть. Но тут я впервые почувствовал себя убийцей. И это неважно, кто сидел за рулем.

Лена продолжала рвать связки. С минуту я стоял в нерешительности. И ни одной машины, как назло. Какой идиот поедет в такую погоду, да еще в три часа ночи.

Она сдвинулась на правое сиденье, а я сел за руль. Мы уехали.

Я не разговаривал с ней неделю. Газеты об этом случае промолчали. С тех пор я это место объезжаю и никогда там больше не был.

Со временем память притупилась. Кажется, что ничего не случилось. Просто приснился кошмарный сон.

Таня захлопнула дневник и включила диктофон. Она услышала женский голос. Запись делал, конечно же, Садовский. Диктофон — его оружие, и он знал, как им пользоваться.

— Послушай, Герман. Машина стоит в гараже. Спили «кенгурятник». Он сильно помят и на нем кровь. Приведи машину в порядок. А главное, чтобы в ней не осталось моих следов. У входа стоят ботинки Андрея, там же его перчатки. Брось их на «торпеду» перед рулем.

— Хватит, Ляля. Я знаю, что делать. Где и как?

— На набережной. Там, где идет ремонт бордюра. Какая-то красненькая маленькая машинка. Короче, от нее ничего не осталось. Попытайся что-нибудь узнать.

— Лишнее. Любопытство наказуемо. От кого вы ехали? Кто вас провожал и кто видел, как ты садилась за руль?

— Муж Тины вышел с зонтом на крыльцо. Машина стояла рядом. Он накрыл меня зонтом и довел до водительской двери. Андрей без зонта обежал машину и сел рядом.

— Мужем Тины придется пожертвовать. Это Александр Белинский?

— Да.

— Он — единственный свидетель. Хорошо, что единственный. А ты запомни: к «Линкольну» ты никогда не подходила. У тебя есть «Феррари», и другими машинами ты не пользуешься.

Женский голос дрожал:

— А если они нас найдут? Андрея посадят. Я без него не могу.

— Ну, или ты, или он. Скорее всего, никого не найдут. Я поработаю с «Линкольном». И прекрати ныть. Тебе это не идет. Возьми себя в руки и о случившемся ни слова. С Андреем тоже. Он должен забыть этот эпизод. В жизни и не такое случается. Все, я исчезаю. Через пару дней увидимся в рыбачьей хижине. Там обсудим детали.

Запись оборвалась. Таня выключила диктофон, положила его в обувную коробку и спрятала вместе с дневником.

Сегодняшняя ночь

Таня подъехала к больнице, нашла брешь в заборе и пролезла на территорию. Морг она нашла сразу. Он стоял отдельно от корпусов и был небольшим в сравнении с огромными коробками больничных зданий. Там и ждала. Через полчаса на улицу вышел Андрей. Он набрал ее номер. Таня сразу же ответила на звонок.

— Тебя до сих пор не отпустили?

— Нет. Но я уже и сам не рвусь домой. Дело приняло необычный оборот. Я думаю, как его можно использовать.

— Я за моргом. Можешь подойти ко мне?

— Да, конечно. Из холла за мной никто не наблюдает. Болтаюсь здесь, как говно в проруби. Иду.

Они обнялись, и он начал ее целовать.

— Погоди, Андрей. Сначала о деле. Твоя жена знала о нас.

Таня показала ему фотографии в смартфоне.

— Все данные я стерла. Компьютер чист. И эти надо уничтожить.

Он взял ее за руку.

— Не торопись, голубушка. Они нам еще могут пригодиться, если мой фокус выгорит. Ну, есть у меня любовница, и что тут странного. Всем и без того понятно, в нашей семье произошли перемены. Но жертвой должен стать я, а не она.

— Скажи мне честно, Андрей, ты убил ее?

— Да. И все ради нашей любви. Иначе она убила бы нас. Я знаю эту женщину. Она мечтала прожить со мной до старости. Не знаю, что это — любовь или эгоизм. Но она уже никого себе не найдет. Ей нужен мужчина сильнее ее, а Лялю окружают только подхалимы или дураки со смазливыми рожами, пригодные на один раз. Однажды я сказал ей при конюхе: «Ты завела жеребца, у которого нет стойла. Может, ему хватит места в рыбачьем домике. Одно время ты любила это местечко. Очень романтично». И знаешь, что она сделала? Выхватила кортик из сапога, подошла к улыбающемуся самоуверенному жеребцу и воткнула ему лезвие в горло по самую рукоятку. «Ты прав. Мне не нужен жеребец без стойла». После чего ушла в дом менять окровавленную блузку. А мне пришлось заниматься трупом. Я могу и другие примеры привести.

— Не надо. Умоляю, не надо.

— Я к тому, что эта женщина готова на все. Для нее не существует слова «нет», если оно ее не устраивает. И больше всего я боялся за тебя. Без тебя моя жизнь теряет смысл. Считай, что я защищался. Ну, мне пора. Я и так слишком часто отлучаюсь.

Андрей повернулся и направился к моргу.

Звонок раздался, когда он подходил к дверям. Наверное, Таня забыла что-то сказать. Он достал телефон, но на нем высветилось другое имя: Лена, и ее телефон.

— Алло! Алло!

Никто не ответил. Вместо этого появилась эсэмэска: «Бедняжка! Тебе тяжело без меня?» Андрей едва не потерял сознание. Его качнуло. Он понимал, что жена не может слать ему эсэмэски. Это тот, кто знал правду. Но и таких людей не было.

Андрей подошел к следователю.

— Скажите, Павел Михайлович, а где находится телефон моей жены?

— Здесь. В пакете с ее вещами. Мы нашли в ее халате смартфон и визитную карточку Садовского.

Андрей облегченно сел на стул.

— Устали?

— А как вы думаете?

— Мы проверили три вещи. Первая. Сыщик Садовский не покупал билеты ни на самолет, ни на поезд. Его машина стоит возле дома. Похоже, в командировку он не уезжал. Служебную машину ему тоже не выдавали.

— Он обещал вернуться завтра. Значит, уехал недалеко. Мог воспользоваться электричкой. Хотя это выглядело бы странно. Я могу получить телефон жены? На случай, если кто-то ей позвонит.

— Конечно. Все данные мы с него уже сняли.

Ильин кивнул, и капитан Салтыков принес пакет. Он был запечатан. Телефон достали и вернули вдовцу. Конечно, никто с него звонить не мог. Андрей надеялся, что больше звонков не будет.

— А зачем вы коллекционировали некрологи, Андрей Ефимыч? — Ильин достал из кармана общую тетрадь.

К такому вопросу Андрей был не готов, но отреагировал спокойно.

— Да, я видел эту тетрадку. Она валялась в моей лаборатории на видном месте. Ее происхождение мне неизвестно, так же я не знаю людей, чьи фотографии в ней помещены. Все время хотел спросить жену об этой тетрадке, но забывал. Вероятно, это ее тетрадь.

— Попробую вам кое-что объяснить. Все эти люди умерли в разное время с одним и тем же диагнозом: обширный инфаркт. И вот что поразительно. Каждый раз в день похорон этих людей ваш личный счет пополнялся на двести пятьдесят тысяч долларов. Двенадцать трупов и двенадцать пополнений. Это может быть совпадением?

— Я не знаю, как ответить на этот вопрос. Дело в том, что счет в банке на мое имя открыла моя жена. Я даже не знаю, где находится банк, никогда там не был и не снимал деньги. Я очень хорошо зарабатываю и очень мало трачу. Деньги складываю в шкатулку — такая резная игрушка из черного дерева, стоит на камине. Она забита деньгами. Я ученый. Мое дело работа. Хозяйством занималась жена.

— Вы понимаете, что все это очень напоминает оплату работы киллера. Я рассуждаю как человек со стороны.

Этот следователь выглядел слишком спокойным, но глаз у него был острым, он видел человека насквозь. Андрей понимал, к чему его хотят подвести, и уже продумал тактику обороны. Но она должна сработать в последний момент. Сейчас еще рано. Следователь сам должен прийти к определенным выводам.

— Вы делаете из меня очень странного киллера, который коллекционирует свои жертвы. Да еще держит компромат на себя на самом виду. Ничего глупее не придумаешь. А теперь о трупах. Все эти люди были убиты?

— Нет, состава преступления не обнаружено.

— Тогда о каком убийстве мы говорим? К тому же эту тетрадку можно положить где угодно.

Например, у вас дома, если бы туда имелся свободный доступ.

— Я рассуждаю о странностях, которые происходят вокруг этого дела. Счет пополнялся не только ваш. В те же дни деньги поступали на имя первого заместителя вашей жены Гальперина и ее личного телохранителя Садовского Германа Юрьевича. Тетрадку можно было и им подбросить. Результат оказался бы тот же. Но Садовский исчез. Командировка — это лишь отговорка. Он в городе. И к нему у нас вопросов больше, чем к вам.

— Скажите, Павел Михайлович, что вы думаете об этой истории?

— У меня нет твердой версии. Возможно, труп унесли, чтобы не подвергать его вскрытию, а это мог сделать только убийца. Я подозреваю вас либо Садовского. Второй вариант сводится к тому, что ваша жена жива. Тогда мне ее действия непонятны. Очнувшись в морге, она в первую очередь объявилась бы, а не пряталась. Кстати, шкатулка на камине пуста, а ваш счет в банке заморожен. С этим нам еще предстоит разбираться. К исчезновению тела вашей жены причастен мужчина. Удар, который получил сторож у лифта, мог нанести только очень сильный человек. Вопрос: жива или мертва была в тот момент Елена Сергеевна Подрезкова?

— Вы упомянули господина Садовского. Я видел его пару раз, но не был ему представлен. Меня не интересовало окружение моей жены. Она была человеком в себе. То, что считала нужным, — говорила, а некоторые темы никогда не затрагивала.

В общем-то, у нас не было разногласий. Мы сошлись по любви, а не по расчету. Мы были счастливы в браке. Нам даже завидовали.

— Расследование тем и осложняется, что я не ставлю перед собой вопросов: «Где?», «Когда?», «При каких обстоятельствах?». Главное — «Почему?». Вот на этом вопросе мы зависли. Скажите, а вы бывали в этом морге раньше?

— Бывал и не раз, — спокойно ответил Андрей. — Я знаю местного патологоанатома. Ему часто требовались разного рода препараты, которые не купишь в аптеках. Я ему их привозил. И не только ему, но и в первый морг. Только так и никак иначе. Приятелями нас не назовешь.

Тут подошел майор Кравченко.

— Горничную доставили.

— Давайте ее сюда, Тарас Григорьевич.

Девушка была напугана. Очевидно, она считала, будто одного допроса с нее достаточно.

— Послушайте, Зина, вы должны говорить только правду. Ваши слова запишут в протокол. Ложные показания чреваты уголовной статьей.

Андрей сидел, а деликатный следователь встал, когда к нему подвели женщину. Возле стола стоял третий стул, и он предложил ей сесть. У Зины тряслись руки.

— Итак, вы сказали, что ушли в три часа. Но это не так. Как все выглядело на самом деле?

— Я ушла в начале первого. Елена Сергеевна попросила меня принести бокал красного вина.

Это случилось минут через десять после ухода хозяина. Я принесла и поставила его на тумбочку возле кровати, а она вышла в гардеробную: в смежную комнату, где висят ее вещи. Тут я заметила на ковре пятно. Я наклонилась. Один бокал, недопитый до конца, стоял на ковре, а второй, точно такой же, упал, и все вино вылилось. Я их подняла и пошла мыть. А когда вернулась в комнату, Елена была одета в подвенечное платье и прикалывала фату к волосам. Я еще застежки ей на спине закрепила. «Вот что, детка, — сказала она. — Возьми общую тетрадку на столе и отнеси ее в лабораторию мужа. Просто брось на столе. И забери все деньги из шкатулки. Это твои премиальные. На них можно год прожить без забот. И всё. Уходи. Завтра ты выходная. И не задавай мне глупых вопросов. Выполняй». Я все сделала, как она сказала. Когда я выходила из комнаты, Елена Сергеевна взяла телефонную трубку. На часах был полдень. Больше я ее не видела. А в шесть вечера мне позвонил Андрей Ефимович и велел вернуться в дом. Лена умерла. Я вернулась, но хозяина не застала. Кроме меня, в доме никого не было до вашего приезда.

— Вы рассказали правду? — спросил следователь.

Девушка перекрестилась.

— Хорошо, пройдите к тому столу, лейтенант запишет ваши показания.

Андрей оставался равнодушным, усталость читалась на его лице, но он держался.

В его кармане зазвонил телефон. Вот это было не кстати.

— Вы возьмете трубку? — спросил Ильин.

— Я уже устал от бесконечных соболезнований.

— В три часа ночи?

Брыкаться не имело смысла. Он достал телефон. На дисплее высветилось имя: Лена. Эсэмэс-сообщение. Он его открыл:

«Тебе все еще верят, убийца?!»

Андрей показал запись Ильину.

— Это уже второй звонок. Первый я стер.

— Но телефон жены в вашем кармане.

Андрей даже вздрогнул. Все верно. Как мог определиться номер Лены? Андрей достал ее телефон. Он был мертвым. Ильин снял заднюю крышку.

— Тут нет сим-карты. Кто же ее вынул? — удивился Ильин.

— Но вы же мне сказали, что переписали все данные с телефона. Он лежал здесь, в целлофановом пакете.

— У вашей жены стоит дополнительная память на флеш-карте. Данные хранятся на ней. Сим-карту мы не проверяли.

— Я думаю, вы сумеете разобраться в этой ерунде. Кто-то хочет вывести меня из себя. Это же делается умышленно. Может, тем же Германом Садовским.

— А если послания шлет вам ваша жена? Почему мы обязаны считать ее мертвой? И обратите внимание, вы все время говорите о ней в настоящем времени, будто она и впрямь жива.

— Я уже плохо соображаю. Может, вы отпустите меня домой?

— Нет, — уверенно заявил Ильин. — Пока мы не найдем вашу жену, домой я вас не отпущу. И не исключено, что вам грозит опасность.

Андрей ничего не мог сделать. Его будто связали по рукам и ногам. Он мог рассчитывать только на Таню. Эта девушка его по-настоящему любит. Она знает, на что он пошел ради их счастья. Ей и придется довести дело до конца. К утру все должно быть закончено.

Два года назад

Она упала и потеряла сознание. Я успел затормозить. Удар оказался не слишком сильным. От злости я треснул кулаком по рулевому колесу. И опять шел дождь, и опять стоял мрак за окном.

Я вышел из машины и подошел к жертве. Передо мной лежала хорошенькая блондиночка и очень молоденькая. Ощупав ее, я понял, что она жива. Осторожно подняв девушку на руки, я уложил ее на заднее сиденье и тут же помчался в ближайшую больницу. Практически мне не задавали вопросов. Я просто сказал, что увидел эту девушку, лежащую на дороге. Видимо, мой вид внушал доверие. Ее увезли, а я остался ждать врача.

Он появился через час.

— Ничего страшного. Небольшое сотрясение мозга и сломана нога. Можно сказать, ей повезло.

Кому из нас повезло, сказать трудно. В полицию звонить не стали, хотя и обязаны. В эту ночь произошло много аварий и других событий, и врачи суетились. Когда девушку перевели в палату, я ушел домой. Моя подопечная приснилась мне в ту же ночь. Абстрактный сон, я даже его не помню, но знаю, что он был красивым и цветным. Мне редко снятся сны, а еще реже хорошие. На следующий день я тоже думал о ней и, наконец, среди дня сорвался с работы, и поехал в больницу.

В палате лежали шесть человек. О комфорте и говорить не приходилось. Ее я тут же узнал. Не назову ее красавицей, но меня притягивало к ней словно магнитом.

Я представился, попросил прощения и еще наговорил кучу разных слов. В руках у меня был огромный букет цветов. Я положил его на тумбочку возле кровати.

— Меня зовут Таня. Меня еще никто не сбивал. Очень удивительно, что вы не удрали, а привезли меня в больницу. Смело с вашей стороны. А еще мне никто раньше не дарил цветов. Спасибо. Они очень красивые.

Голос у нее был нежным, почти ласковым. Черт меня знает, но я совсем не видел жизни и плохо ее понимал. Мне и в голову не могло прийти, будто я вновь могу влюбиться. Причем Таня не походила ни на кинозвезду, которыми я часто любовался в старых журналах, ни на супермодель, в которых, кроме костей, я ничего не видел. Она была обычной девушкой. Вероятно, эту встречу и можно назвать судьбой, а не ту, подстроенную, где меня использовали в качестве оружия. Я ни о чем не жалею. Что сделано, то сделано. Для меня прошлое казалось сказкой. Ко мне в дом попала великая Лана Тернер с томным взглядом и огромным талантом вить из мужиков веревки. Бывшая шлюха по вызову имела огромный опыт, но все, что она делала, касалась только ее интересов. Я никогда с ней не чувствовал себя мужем. Так, обслуживающий персонал, занимающий свою нишу в ее многообразной жизни. Возможно, Лена меня любила, но я всегда оставался ее собственностью, как любимый плюшевый мишка, которого можно отбросить в сторону, если он надоел.

Я ходил в больницу каждый день и все больше привязывался к Тане. После ее выписки мы начали встречаться. Это можно было назвать платонической любовью. Может, я и хотел большего, но не снимать же номер в отеле. Но однажды это случилось. Я уже горел желанием и меня понесло. Сделал непростительную глупость. Привел Таню на квартиру к Оксане. У меня еще оставался ключ. Дело происходило днем. Тогда Таня еще не знала о том, что я женат и кому принадлежит квартира. О последствиях я не думал. Витал в облаках, мечтал и ловил моменты счастья.

С этого поганого дня все и началось. Оксана появилась в доме, когда мы лежали в ее постели. Она не вышла из комнаты, а рассмеялась:

— Хороший сюрприз. Ты ничего лучшего не придумал, Андрюша? Нельзя таскать девчонок в постель бывшей любовницы. А ты успокойся, деточка. Вижу, что ты не шлюха, да и Андрей со шлюхами не спит. Значит, это любовь? Ах, как трогательно. Одна мелочь может помешать вашему кайфу. Андрюша женат. Его жена купила его у меня. Влюбилась. Но и это мелочи. Какой женатый мужик не гуляет от своей жены? Я таких не видела. Вот только Андрюша женат на монстре в обличье первой красавицы города. Да еще очень богатой и могучей. Ему она ничего не сделает. А тебя отравит. Ты заснешь и больше никогда не проснешься. Обширный инфаркт. Тебя тихо похоронят и забудут о тебе. Так она всех убирает со своего пути. Ну а если жить хочешь, то натягивай трусики и беги сломя голову подальше от этого парня. Не видать тебе с ним счастья, как своих ушей.

У меня язык прилип к нёбу. Я молчал. Оксану трясло. Она молола всякую чушь от ненависти, а Таня принимала все за чистую монету.

Наконец Оксана хлопнула дверью и ушла. Таня оделась и убежала. А я так и остался в постели — голым, с идиотской рожей.

На следующий день Оксана пропала. С тех пор я ее не видел. Но она ничего не рассказала моей жене. За это ей спасибо. Таню я встретил случайно на улице только через месяц. Просил прощения, умолял, чуть ли не на коленях стоял. Она меня простила. Относительно. Но в постель к себе не пускала. Она понимала, что мы любим друг друга и это серьезно и надолго. Но пока я женат, между нами ничего быть не может, говорила она. Я не спорил. Готов был идти на любые условия, лишь бы не потерять Таню. Вот тогда я и задумал свой коварный план. Встречались мы с Таней по ночам. Лена привыкла, что я до утра засиживаюсь в своей лаборатории, и никогда ко мне не заходила. Я же пользовался веревочной лестницей и спускался со второго этажа через окно, а возвращался к утру. К жене относился с особым вниманием, чтобы не вызывать подозрений, но с каждым разом я замечал в ней все больше и больше недостатков. Оксана оказалась права. Я был женат на монстре в обличье ангела. Эта женщина на все способна. А когда она хладнокровно зарезала конюха, я даже не удивился этому. Таким людям нельзя жить на земле.

Допустим, на моей стороне есть фактор неожиданности. Она не ждет удара в спину. Но меня очень смущал ее прихвостень, некий Герман Садовский. Этот человек всегда начеку. Не с моим опытом тягаться с ним силами. Тут нужен совершенно неординарный ход. Я знал, что Садовский принимает участие в наших экспериментах. Но мы с ним не сталкивались. Он работал с женами жертв и получал наличные из их рук. Инструктировал его лично Гальперин. Первое и главное правило: чтобы победить врага, его надо знать лучше, чем себя. И я занялся господином Садовским.

Таня отложила дневник в сторону. Она помнила тот день, когда Оксана застукала их у себя дома. На следующий день она решила поговорить с бывшей любовницей Андрея.

Дома ее не застала, но удивительно, что входная дверь оказалась не запертой. Таня вошла в квартиру. Тут ничего не изменилось. Все на своих местах. Вот только портсигар Андрея лежал на обеденном столе. Забыл? Вчера она его видела в спальне. На столе остались тарелки, остатки еды и вино. Возле одной из тарелок лежало расписание поездов. Возможно, Андрей дождался Оксану и они о чем-то еще говорили. Она же могла выдать его жене.

Таня поехала на вокзал, прихватив визитку Оксаны. Кассирша оказалась очень любезной. Просмотрела корешки билетов и сказала:

— Оксана Лебеда уехала в Москву вчерашним восьмичасовым поездом. Вагон седьмой, место тридцать первое. Поезд Новосибирск — Москва. В столицу прибывает сегодня в семнадцать тридцать.

Таня тут же позвонила в Москву своей подруге:

— Машенька, у меня огромная просьба. Встреть поезд Новосибирск — Москва. Прибывает в семнадцать тридцать. Ты успеешь. Вагон седьмой, место тридцать первое. Даму зовут Оксана Лебеда. Высокая красивая брюнетка лет тридцати пяти. Спроси ее, готова ли она поговорить с подружкой Андрея. То есть со мной. Если да, то я приеду в Москву. Пусть назначит встречу или оставит номер, по которому ей можно перезвонить. Свой мобильник она забыла у себя дома.

Подруга выполнила просьбу. Но ее ответ был ошеломляющим. Пассажирка вагона номер семь Оксана Лебеда умерла в пути от сердечного приступа. Труп сняли с поезда в Ярославле.

С Андреем Таня заговорила об Оксане через полгода. Она прикинулась, будто ничего не знает о смерти женщины, но Андрей сам об этом сказал:

— Погубила себя, дура.

— Это как же?

— Решила сдать меня жене. Рассказала, что застала меня с девчонкой в своей постели. Лена ей не поверила. За домом Оксаны следили. Ты пришла позже меня, а ушла раньше. Со мной тебя не видели. И что за бред? Я с кем-то в постели Оксаны! Ясно, что она себя прикрывает. Жена предупреждала ее, что с ней будет, если Оксана продолжит встречаться со мной. Лена отправила секретаршу в Москву в командировку с мелкими поручениями. Но Оксана в Москве так и не появилась. С тех пор о ней никто не слышал. Сработал тот яд, о котором говорила Оксана. В одном она права: я женился на ведьме, и участь наша будет ужасной, если ее не опередить.

— Ты решил убить жену?

— Я хочу, чтобы мы были счастливы и жили долго. А если на земле одним оборотнем будет меньше, то никто этого не заметит, а другие скажут спасибо за спасенную им жизнь.

5 Зак. 1467

Таня почувствовала, как стала соучастницей заговора. Но отговаривать Андрея не стала. Если он принял решение, то назад не повернет.

Сегодняшний день

Андрея ждал новый сюрприз. Приехали трое неизвестных с портфелями: двое мужчин и женщина. Люди отчужденные. Обычно с такими за один стол не садятся.

Ильин встал.

— Вот, Андрей Ефимович, познакомьтесь. Перед вами эксперт судебно-медицинских молекулярно-генетических исследований Михаил Львович Скобейников и эксперт антропохимик Антонина Валентиновна Горюшина.

Третьего он не представил. Человек пожилой, седовласый и очень обаятельный. Андрей решил, что это психолог или, хуже того, психиатр. Он и с этими людьми имел дело. Правда, в далеком детстве.

— Я думаю, мы не будем делать вступительных речей, а сразу перейдем к делу. Андрей Ефимович доктор наук. Химик. Он вас поймет с полуслова, а если мне понадобятся пояснения, то я спрошу.

Гости устроились за столом.

— Колбочку, найденную в сумочке Елены Подрезковой, мы практически расшифровали. Этот состав может имитировать смерть, — деловым тоном говорила женщина. — Раствор под номером девятьсот семь при огромном количестве нейролептиков, таких, как допамин и галоперидол, может вызвать каталепсию — полное обездвижение, потерю пульса и дыхания. Человек может продержаться в таком состоянии сутки. Дальше от нехватки кислорода начнет умирать мозг и спасти человека не удастся. Мы думаем, этот процесс можно остановить. Потребуется адреналин и еще пять-шесть стимуляторов. Во всем этом деле есть только один недостаток. Предназолин останется в крови. Его можно обнаружить, и он даст повод считать смерть отравлением. Теперь мы вспомним случай с одним из пациентов, не будем называть его фамилию, которого таким методом вынудили заплатить миллион долларов. Он подал заявление в прокуратуру. Там не серьезно отнеслись к жалобе, и письмо переслали нам. Деньги с него требовали за приобретение картины Рубенса. Картины он не получил, деньги отдал, но главное, что он описал симптомы и чудодейственное оживление. Ему сделали прямой укол в сердце, и он пришел в себя. Что еще важно, все это время он был в сознании, но ни одна мышца не работала. Речь идет о гениальной афере, с помощью которой можно изымать деньги. Его предупредили о возможных последствиях. Если заговорит, ему опять накапают раствор в чай или вино, но откачивать не будут. Причем аферисты не отнимают у людей все. Не больше четверти капитала. И еще. Все жертвы коллекционировали картины. Так что в противоядие мы тоже верим. И теперь этому письму можно поверить.

— У вас есть на то серьезные основания? — спросил Ильин.

Ответила женщина:

— Конечно. Вы же сами дали нам раствор для изучения. Будь у нас противоядие, мы бы его испытали. Даже я согласилась бы на такой опыт. Мы можем утверждать, что Елена Подрезкова его выпила. Обездвиженность наступила приблизительно через два часа. Она переоделась и приняла нужную позу. Но не учла одного обстоятельства. Подвенечное платье было слишком тесным, а через два часа после начала действия препарата ее прошиб пот. Все окна в доме были закрыты. Вот только сделать она уже ничего не могла. Мы нашли на подкладке платья следы раствора, вышедшие с пóтом. Этого создатели мертвой воды не учли. Так что, если Подрезкова выпила раствор сегодня, она еще жива, даже без укола «живой воды».

Ильин повернулся к Андрею:

— Ну а вы что скажете?

Он усмехнулся:

— Извините, но ни в живую, ни в мертвую воду я не верю. Это хорошо звучит в сказках. В чудеса химии я верю. Но только после убедительных опытов. Я тут подумал о Рубенсе. У моей жены много альбомов и каталогов фламандских художников, но еще я видел у нее альбом с любительскими фотографиями. Стена обычной квартиры увешана богатыми рамами с картинами старых голландцев. А потом снимки каждой картины по отдельности. Совпадение?

— Вы знаете, — заговорил мужчина, которого не представили, — нет, не совпадение. Деньги вымогателям всегда платила жена жертвы. Самое слабое место во всей афере. А если курьер приходил за деньгами с картиной? Вот, мол, товар, гоните монету и всё тут. Правдоподобная сделка.

Ильин подозвал майора:

— Тарас Григорьевич, проведите обыск у Германа Садовского. На обеих квартирах. Без санкций и по-тихому. Мы ищем картины. Любые. А заодно и ожившую Елену Подрезкову. И отправьте наряд в особняк Подрезковой. У меня предчувствие, что скоро мы найдем нашу покойницу живой и здоровой.

Майор козырнул и отошел.

— Мы можем идти? — спросил эксперт.

— Да, конечно. Только подробно оформите свои выводы в письменной форме.

— Ну, разумеется.

Все пожали друг другу руки и разошлись.

— Пожалуй, и я с вами покурю, Андрей Ефимыч. — Ильин взял его под руку, и они пошли на свежий, холодный воздух. — Ну, что-то я начинаю понимать. Женщина с сердечным приступом не могла на себя надеть подвенечное платье и принять позу покойницы в гробу. Этим она хотела нам сказать, что ее смерть не случайна. Кого мы можем подозревать, кроме вас? Извините, никого. Если она договорилась с пропавшим Германом Садовским, то это он приходил в морг, оглушил сторожа, сделал ей укол и увез в неизвестном направлении. Свидетельство о смерти выписано. Труп исчез, так как в лекарстве есть элемент, доказывающий отравление. Эта стрелка указывает на вас. А лекарство в сумочке оставлено для нас. Я не верю в самоубийство.

— И никто бы не поверил. Моя жена слишком успешна, молода и красива. Но еще она очень мстительна. Вы сами, Павел Михайлович, вызываете меня на этот разговор. Итог прост. Я арестован и обвинен в убийстве. А она жива и здорова. Дело в том, что два года назад у меня появилась другая женщина. Наши отношения с Еленой рушились, и я собирался уходить от нее. Такой позор она не могла вынести. Но кто мог предположить, что ее месть будет столь жестока. Только, извините, имени своей девушки я вам не назову. Не хочу ее замарать грязью. Она светлый чистый человек. А тут сплошные помои. Скажите, а почему вы так легко поверили в версию, будто Елена жива?

Следователь улыбнулся.

— Выступление экспертов делалось для вас. Я его уже читал. Я следил за вашей реакцией. Так вот, во всей этой истории есть один прокол. Даже находясь в коме, зрачки Елены реагировали бы на свет. Она же псевдотруп. Так вот, врачи «скорой помощи» в протоколе написали: карие глаза покойной на свет не реагируют. На вашем столике стоит прекрасная цветная фотография. У Елены Сергеевны невероятно красивые голубые глаза. Она надела на зрачки замутненные линзы. Но главное в другом. Человек, понимающий приближение своей смерти, ищет спасения, а она разыгрывает спектакль с подвенечным платьем. Может быть, зря вы ее переодели? Сошло бы за самоубийство.

— Нет, не сошло бы. Завтра утром она была бы еще жива. Патологоанатом не стал бы делать вскрытие. Правда, и реаниматологи ее уже бы не спасли. Но отравление вскрылось бы. Кровь берут в первую очередь.

Андрей замолчал. Кажется, он ляпнул что-то лишнее. С этим человеком надо разговаривать очень аккуратно.

Они постояли, покурили, и капитан, высунув голову из-за двери, крикнул:

— Пал Михалыч, вы здесь нужны.

Ильин направился к дверям. Здесь его ждал тот самый седой интеллигент из команды экспертов.

— Вы составили свое мнение? — спросил Ильин.

— Только если коротко. Я бы отнес вашего подопечного к категории социопатов. Эти люди не могут проявлять сочувствие по своей природе. У них ложное представление о мире, как у шизофреников и параноиков. И еще. Социопаты умеют прекрасно входить в доверие к людям. Они стараются выглядеть такими, какими их хотят видеть. И у них это получается. У таких больных эта черта в крови, если говорить по-простецки. Это все, что я могу сказать.

— Доктор, вы сказали то, что мешало мне спать долгие годы.

Врач ответа не понял, пожал плечами и ушел.

Сегодняшняя ночь

Чтение дневника оборвал телефонный звонок. Значит, у Андрея появилась очередная возможность связаться с ней.

— Танюша, прости меня, но ты должна сделать еще одну, пожалуй, самую главную вещь. Сыскари собираются обыскать усадьбу. Тогда все пропало. Ты должна незаметно туда проникнуть. На реке есть старый причал, с правой стороны, в полукилометре от усадьбы. Там стоит весельная лодка. Она привязана веревкой к колышку в камышах слева от причала. Весла в лодке. Сейчас ночь, тебя никто не увидит. Сядь в эту лодку и плыви вдоль берега, чтобы не потеряться. Так ты доберешься до моего причала со стороны воды. Возле причала привязаны моторные катера. К ним не подплывай. На берегу стоят две перевернутые лодки. Под одной из них лежит труп Лены и якорь на цепи. И то и другое надо загрузить в лодку, выплыть на середину реки, обмотать труп цепью и скинуть его в воду. Я этого сделать не успел. Меня срочно вызвали в морг. Ты понимаешь, что от этого зависит наше будущее. Нет трупа, нет уголовного дела.

— Я все поняла.

— Поторопись. Они собираются выезжать. Полагаю, начнут с дома, а потом будут прочесывать участок и побережье. Будь очень аккуратна. Зря не рискуй. Ты мне нужна. Я не могу без тебя жить. Целую, мое солнышко.

Связь оборвалась. Таня долго сидела с трубкой в руке. Внезапно ей показалось, что весь дневник написан однобоко. Андрей себя в нем оправдывал. Его воспоминания были похожи на мемуары ветерана войны, которые она однажды читала, а потом выяснилось, что он служил в одном из концлагерей. Смерть Оксаны дело рук Андрея, а вовсе не результат Лялиной безудержной ревности. Оксана могла сдать Андрея жене и сделала бы это с удовольствием. Такого Андрей допустить не мог. Он зависел от жены во всем, и ему понадобилось два года, чтобы продумать и сделать свое черное дело. Но стоит ли об этом сейчас думать. Наступил решающий момент, и она должна действовать.

Таня вновь вышла под дождь. Машина с трудом завелась. Она поехала к реке и после долгих поисков нашла старый причал. Лодку найти оказалось значительно труднее. В камышовых зарослях был глубокий ил. Туфли она потеряла сразу же. Ноги увязали в густой кошмарной жиже и шли ко дну. Их приходилось выдергивать из тины. Она попыталась плыть. Осока резала ей руки своими острыми листьями. Над водой стоял туман, он будто стелился покрывалом, похожим на молочную пену. Таня чудом наткнулась на лодку, едва не ударившись головой о борт. С огромным трудом ей удалось забраться внутрь, зачерпнув мутной воды, покрывшей дно по щиколотки. Вдоль берега плыть было нетрудно. Он холмом возвышался над водой, и она его видела. Но сам причал покрывала пелена густой дымки, и ей пришлось вплотную приблизиться к берегу. Наконец она увидела контуры рыбачьего домика, а дальше шел деревянный пирс. На холме высился особняк. Свет горел во всех окнах. Значит, полицейские уже начали обыск. Какая глупость! Кто же будет прятать труп в доме? Туда может вернуться только живой человек. Вода в лодке прибывала. Пустая посудина хорошо держалась на плаву, но, сев в лодку и зачерпнув воды, Таня своим весом утяжелила ее и та осела, как раз до того места, где была выбита одна щепка. Эта мелочь могла все испортить. На дне валялась литровая банка, и Таня попыталась откачать воду. Мартышкин труд. Ничего не помогало. Она причалила к пирсу, привязала лодку и выбралась на берег. Ее пронизывал холодный ветер. Девушку трясло, но она терпела. Не догадалась взять с собой ничего сухого и теплого.

Чуть выше причала стояли две перевернутые весельные лодки. Они оказались тоже дырявыми. Вот почему Андрей не вывез труп сам. В тот момент полицейские были в его доме, а потом его срочно вызвали в морг. Ждать он не мог и плыть не на чем. Все, что он успел, так это найти другую лодку у старого причала. Но и она оказалась дырявой, чего он в спешке не заметил. Таня очень боялась покойников, но сейчас о таких мелочах лучше не думать. Она перевернула первую лодку. Ничего. Потом вторую. Труп лежал на месте и был упакован в черный целлофановый мешок с молнией. Такие специально делались для покойников, но в городских моргах их не было. Там все еще пользовались простынями. Значит, Андрей обо всем позаботился заранее. Это был не порыв, не случайность, не шаг отчаяния. Это продуманное деяние.

Якорь с цепью лежал рядом. На цепи замок с ключом. У Тани дрожали руки. Она обмотала цепью шею или ноги трупа, понять было трудно, застегнула замок, чтобы цепь не сорвалась, и бросила ключ в воду. Но когда она попыталась сдвинуть тело с места, поняла, какую глупость сделала. Чугунный якорь был слишком тяжелым. Ей пришлось взять весло и использовать его как рычаг. Когда до воды оставалось совсем немного, весло сломалось. Пришлось взять другое. Тело упало в лодку, на которой Таня приплыла, и лодка тут же ушла на дно. Воздух из мешка поднялся кверху пузырями. Таня тут же прыгнула в воду, но ноги до дна не достали. Большего она сделать не могла. Возвращаться пришлось вплавь. Из воды она выбиралась едва живой. Ее телефон утонул. Хорошо, что она ключи от квартиры оставила в машине, а от машины — в замке зажигания. Ей надо было срочно вернуться домой. Предстояло еще немало дел. Десять минут Таня еще пролежала на холодной мокрой земле, потом с трудом поднялась на ноги.

Перед рассветом

Кажется, из тупика уже не было выхода. Картины обнаружили в одной из квартир Германа Садовского. Но ни самого частного сыщика, ни Елены Подрезковой найти не смогли. Преступление заключалось лишь в том, что из морга пропал труп. Андрей оставался спокойным и даже хладнокровным. Видимо, все самое неприятное он уже пережил.

— Скажите, Андрей Ефимыч, — неторопливо продолжал следователь, — вы не чувствовали угрозы со стороны жены?

— Она была очень скрытным человеком. Непроницаемая женщина. Но больше всего я боялся не за себя, а за Таню.

— Кажется, в нашем разговоре появился новый персонаж.

— Увы, не новый. Мы разговариваем с вами вдвоем, без свидетелей, и протокол вы не ведете. Вы порядочный человек, Пал Михалыч, я могу говорить с вами открыто. Мою девушку зовут Татьяна Алексеевна Сигалова. Она студентка нашего университета, ей двадцать один год. Очень умная и красивая девушка. Мы любим друг друга.

— Может, и адресок ее скажете?

— Это окраина. Дома на улице Взлетной. Рядом с аэропортом. Они уже наполовину выселены. Их будут сносить. У нее квартира в шестом доме. Она занимает весь второй этаж. Конечно, Лена поняла, что у меня кто-то есть. И надо помнить, что на Лену работал такой опытный сыщик, как господин Садовский. Тот любые сведения из-под земли достанет. Лена с такими обстоятельствами не могла смириться. Я ей достался не просто. И она меня по-настоящему любила. В институте был разработан яд. Он проходил у нас под индексом восемьсот пять. Этот препарат не оставлял ни малейших следов в теле человека, но приводил к парализации конечностей, и в течение нескольких часов наступала неизбежная смерть. Вы нашли такой пузырек в сейфе жены на работе. Этот препарат Елена опробовала на своем первом муже. Он умер, и она стала свободной женщиной. Вот таким образом она меня добивалась. Ее интересы всегда стояли на первом месте. Средства для достижения цели не имели значения. Теперь вы понимаете, что у меня был повод убить ее.

— Что вы и сделали?

Андрей усмехнулся:

— Зачем же мне в таком случае выкрадывать труп из морга? Следов восемьсот пятого препарата невозможно обнаружить при вскрытии. Лукавить не буду — я думал над этим. Но только ради спасения Тани. Я понимал, что нам грозит опасность. Вопрос лишь времени. Побег — не выход. Лена со своим сыщиком везде бы нас нашла. Я думаю, конфликт произошел между Германом и Леной. Это они использовали препарат девятьсот седьмой, дающий жертве шанс выжить, но оставляющий следы в организме, если не ввести сыворотку спасения. Они не убивали людей. Они их грабили. А деньги на мой счет она клала специально, чтобы я попал под подозрение и держал язык за зубами. Коллекция картин у Германа была подлинной. Он же работал в МВД, в отделе внутренних расследований. Эту коллекцию отдал ему один генерал, «оборотень в погонах», чтобы Герман закрыл дело, грозившее ему большим сроком. И дело закрыли в связи с отсутствием состава преступления. Я ученый. Дела моей жены и ее прихвостней меня не интересовали. Но когда дело дошло до наших с Таней жизней, я задумался. Вот только свой приговор не успел привести в исполнение. Правда, Тане я сказал, что это моих рук дело. Специально. Чтобы она во мне не сомневалась, а верила в мою преданность. Я же понимал, что она никому ничего не расскажет. Она меня по-настоящему любит и предана мне.

— А почему бы вам не развестись с вашей женой?

— Это меня не освободило бы от ее мести. Она людей не прощает. Ну а в первую очередь меня выкинули бы из института, которому я отдал пятнадцать лет жизни. Она же директор. И к тому же очень страшный человек. Монстр. Жизнь людей для нее ничего не значит.

К ним подошел капитан Салтыков.

— Есть новости, товарищ полковник. Время-то к утру уже идет. Пора заканчивать нашу запутанную историю.

Андрей посмотрел на часы. Четверть пятого. Таня уже все сделала и вернулась домой. Теперь у следствия нет никаких следов. Сейчас Андрея ничего не беспокоило. На любой вопрос у него имелся ответ. Можно по-разному трактовать поведение подозреваемого, но лишь на словах. Фактов нет, доказательств нет, ничего нет. К тому же он почувствовал сочувствие следователя. Подох еще один преступник. Туда ему и дорога. Перед ним сидит молодой талантливый ученый, которому еще жить и жить. Впереди сотня открытий, успех и огромная польза государству. Он же это понимает. А труп к жизни все равно не вернешь.

Они вышли на улицу и сели в машину. За рулем сидел капитан. Ехали молча. Все уже сказано и добавить больше нечего.

Машина приехала в усадьбу. Мало того, она свернула на аллею, ведущую к причалу. Тут Андрей занервничал. А если Таня попалась? Она совсем еще девчонка. Одна ошибка — и все кончено. Машина остановилась у пирса. Тут толпился народ. В основном в милицейской форме. В воду спускались водолазы.

— Что-то нашли? — спросил Ильин.

— Думаю, нашли, — ответил майор Кравченко.

В воду сбросили канаты.

Андрей стоял в оцепенении. Труп должен быть на середине реки, а не возле берега. Неужели Таня не справилась с самым элементарным заданием?

На поверхность вытащили тело в черном целлофановом пакете с тяжелым якорем на цепи.

— Это мы вас спугнули? — спросил Ильин у Андрея. — Не успели спрятать труп надежнее?

Андрей промолчал. Вся его версия развалилась как домик, построенный из кубиков.

Какой-то мужчина в штатском достал нож и распорол мешок. Перед ними лежал труп Германа Садовского. Мужчина внимательно осмотрел труп, потом встал на ноги и доложил Ильину.

— Трупные пятна уже выступили. Окоченение средней степени. Думаю, смерть наступила около полуночи. Но сколько он пролежал в воде, сказать не могу.

— Главное не в этом, а в том, что к смерти Елены Подрезковой он не имеет отношения. Вот, Андрей Ефимыч, познакомьтесь, эксперт судебной токсикологии Гладышев. Вскрытие нам поможет? — обратился он к эксперту.

— Да, конечно. В крови мы следов восемьсот пятого препарата не найдем. Но в хитром растворе присутствует сукцинилхолин. Он быстро распадается, и его частицы можно обнаружить в почках, так как они выходят с мочой. Очевидно, господин Коптилин Андрей Ефимыч этого не знал.

— Делайте срочное вскрытие.

Ильин взял под руку Андрея и отвел его в сторону.

— Я очень сожалею, Андрей Ефимович, но мы за эту ночь провели огромную работу и добились нужных результатов. Сейчас идите в свою лабораторию и напишите чистосердечное признание со всеми подробностями. Не забудьте упомянуть ковер, залитый вином возле кровати вашей жены, о котором упоминала горничная и который вдруг исчез. Не забудьте об ампуле с восемьсот пятым препаратом, так небрежно выкинутой в кусты, упомяните и вашу девушку. Можно вспомнить и про гроб. Ну, вы все сами понимаете. Идите. Думайте и пишите. Только не защищайте себя. Это сразу же запахнет фальшью и попыткой вывернуться. Вам должны поверить. Это может вас спасти.

Полковник похлопал Андрея по-отечески по плечу и отошел в сторону.

Рассвет, похожий на закат

Противостояние уже дошло до своего апогея. Вопрос стоял ребром. Или я, или она. Конечно, с коварством Елены бороться бесполезно. Она проработала в столице больше пяти лет шлюхой по вызову и мужчин знала, как свои пять пальцев. Только с таким талантом уличная девка могла женить на себе солидного богатого человека, а потом в знак благодарности отправить его в могилу. Та же участь ждала и меня — лишь потому, что я осмелился полюбить другую.

Но и здесь она меня обхитрила. Отравить я ее так и не смог. Моя вялая попытка ни к чему не привела. Елена пришла под утро навеселе, у нее болела голова, и она попросила принести ей бокал красного вина. Шел восьмой час утра. Я вылил ей в бокал половину ампулы восемьсот пятого раствора. По всей вероятности, я чем-то себя выдал, или моя нервозность была заметна. Надо не забывать, что я прожил с этой женщиной десять лет. Во всяком случае, первые семь лет были очень счастливыми. Но она очень быстро старела из-за своего бесшабашного образа жизни. Ее характер стал невыносимым. Особенно после получения власти над людьми. Она лично выбирала жертв из числа коллекционеров картин. Вторым условием были деньги. Ясное дело, что у людей, собирающих раритеты, водится капитал. Я думаю, с некоторыми из них она даже спала. Так она ощущала всецелую власть над жертвой. Но утверждать не берусь. После того как в моей жизни появилась Таня, мне стало плевать на все, что касалось моей жены.

Итак, я передал ей бокал с вином и отравой.

Через секунду раздался телефонный звонок в коридоре. Она лежала в постели, сунув руку под одеяло, и ей ничего не стоило нажать кнопку вызова нашего домашнего номера. Я вышел из спальни. Не знаю, почему, но я боялся видеть, как она пьет вино. Дозировка, которую я ей дал, могла начать действовать через два часа. Я так и хотел. В десять она отключится, а в четыре умрет. Обратного пути уже не было.

Вернувшись в комнату, я увидел, как она пьет вино и улыбается.

— Ты прелесть, Андрюша. Мне страшно повезло с мужем. Пьяная баба возвращается под утро, а он ее раздевает, да еще вино подает в постель.

— Стоит ли на такие мелочи обращать внимание? Мы одна семья и должны держаться друг друга. Мне пора бежать. Сегодня распределяем лаборантов на конвейер. Каждый должен занимать свое место.

— Не задерживайся. Я настроена заняться сегодня любовью.

Я ушел. Живой ее я больше не увижу — это все, что я хотел знать, и мне стало легче дышать. Я работал и старался ни о чем не думать, но в четыре часа не выдержал и сорвался с места. Мое появление дома едва не стоило мне нервного срыва. Елена лежала в столовой на раздвинутом круглом столе, застеленном белой скатертью, а сама была одета в подвенечное платье.

Вокруг живого трупа стояли вазы с цветами. Я тут же понял фокус с телефоном. Всего этого она не смогла бы сделать одна. Через час после приема препарата она должна была потерять ориентацию и не смогла бы рвать цветы с клумбы. По ее состоянию я понял, что она подменила восемьсот пятый препарат на девятьсот седьмой. Симптомы все те же, разница лишь в том, что Елена может ожить. Но убийство останется убийством, если будет зафиксирована смерть. Обвинить могут только меня. Тем более если ее сыщик Садовский докажет мою связь с Таней.

Я отправился в спальню и обошел ее кровать. Все верно. Со стороны окна ковер был залит вином. Со стороны двери этого не было видно. Значит, здесь стоял второй бокал. Либо с обычным вином, либо с другим раствором. У нее было слишком мало времени. Яд с бокалом, который дал ей я, она поставила небрежно на пол, и он опрокинулся. Она успела взять другой, и когда я вошел в комнату, потягивала из него вино. Я тут же вынес ковер во двор и сжег его вместе с опавшими листьями. После этого я тут же вызвал «скорую помощь», раздел жену, накинул на нее обычный халат и уложил в постель.

— Помни, стерва! Твой спаситель не придет. — Я знал, что ее сознание работает, и она меня слышит. — Ты не тому доверилась. Он давно сговорился с Гальпериным. Забыла, что они вместе служили и обоих одновременно турнули из МВД. Ты сделала Гальперина своим замом, и он получил допуск ко всему. При Зяме такого не было. А теперь зачем ты им нужна? Лишний рот, распределяющий деньги. Они все будут забирать себе. Схема отлажена и отлично себя зарекомендовала. А ты тут при чем? Хочешь хапать себе львиную долю за красивые глазки? Они у тебя уже не красивые. Ты вовремя ушла с арены. Мавр сделал свое дело, мавр может умереть.

Тут приехала «скорая». Дети, что они видели? Я дал им пять тысяч рублей, и они согласились отвезти тебя во второй морг. Ребята были на седьмом небе от радости.

Я навел порядок в доме. Цветы выкинул. Елену не должен никто спасти. И если она выпила раствор даже в двенадцать часов, то завтра к двенадцати часам она будет мертва. Я напряг мозги и продумал все детали. Все должно получиться. Конечно, в тот момент я не предполагал, что в такое примитивное дело может вмешаться полиция. Все выглядело настолько просто, что никто ничего не мог заподозрить. Во всем виноват поганый лифт, который не хотел двигаться с места. И еще этот придурковатый сторож, взбаламутивший воду в черном омуте.

Осень. Темнеет рано. Я взял с собой шприц и ампулу 805-го. Набирать в шприц раствор не стал, можно случайно уколоться. Я делал все правильно, кроме каких-то незначительных мелочей. На воротах в больнице меня знали, я часто приезжаю в морг. Скорее всего, охранник и вовсе считал меня врачом или кем-то из персонала и, увидев меня, тут же открыл ворота. Машину я оставил на соседней с моргом аллее, а сам вышел и засел в кустах можжевельника. Вот тут я и наполнил шприц лошадиной дозой 805-го. Ампулу выбросил. Ошибка номер один. Не думал, что вы ее найдете, да еще определите один из важных элементов. Кстати сказать, в США сукцинилхолин добавляют в инъекции, делающие приговоренным к смерти.

Вооружившись шприцем, я ждал. Я знал, что он придет, и он пришел. Этот опытный мент, безусловно, превосходил меня и в силе, и в ловкости. Лицом к лицу мне его не одолеть. Даже смешно думать об этом. Я напал на него сзади. Просто запрыгнул ему на горб и вонзил в шею шприц. Это происходило в десяти шагах от главного входа в морг. Герман ничего сделать не мог. Он простоял на месте меньше минуты и замертво упал. Уже окончательно стемнело. Мы оказались в тени. Видеть нас никто не мог. Я выбросил шприц в кусты. Это была моя вторая ошибка. Германа до машины мне пришлось волочь. Он был очень тяжелым. Я с трудом запихнул его в багажник и еще придавил, чтобы замок защелкнулся. Теперь моя женушка осталась без защиты. Конечно, с сыщиком можно было проделать эксперимент, который с успехом использовала моя жена, вымогая деньги с предпринимателей. Он мог многое рассказать, о чем я не знал, но сейчас уже поздно размахивать руками. Я должен был ее опередить, иначе сам попал бы в морг.

Центральная дверь здесь не запиралась. Сторож сидел двумя этажами ниже, а трупы больных иногда привозили ночью. Они не всегда регистрировались. Тут часто путали покойников. Обычный совдеповский бардак. Всю местную систему я знал. Местный патологоанатом был мужиком болтливым. Каких только историй я от него не слышал!

Я вошел в здание, где царила смерть. Холл из мрамора был выполнен в серых тонах, пол напоминал шахматную доску. Прямо располагался грузовой лифт, ведущий на третий подземный этаж, где находятся два зала для мертвецов, и на второй, где расположились три зала для прощания родственников с усопшими. По местному они назывались «пункты выдачи тел». Черная табличка гласила: «Выдача трупов производится с 12.00 до 17.00».

Хамское табло. Могли бы придумать что-то поприличней. Задние двери всех трех залов выходили в один общий зал. Там стояли столы с трупами, уже прошедшими вскрытие. К стенам были прислонены гробы, купленные тут же. Некоторые покойники уже лежали в гробах, если гример успел их обработать, и были накрыты крышкой. На крышку клали бирку с ноги умершего, чтобы не перепутать, какой труп в какой зал везти. И все же путали, так как рабочие все время были пьяными.

Но меня интересовал третий подвальный этаж. Вечером я приезжал сюда, обливаясь слезами. Патологоанатом мне долго сочувствовал и даже проводил в зал, где лежала Лена. Ее положили в правое крыло. Там в зале было холоднее. Уже удача. Стол сторожа находился за углом рядом с левым крылом. Практически я мог попасть сюда не замеченным. Я привез с собой любимую кружевную ночную сорочку Лены синего цвета.

— Наденьте, — сказал я почти приказным тоном. — Я не хочу, чтобы моя жена лежала голой на каменном столе.

— Конечно, Андрей Ефимыч. Сейчас организуем. Вскрытие намечено на завтра. А после полудня можете забрать тело.

Я поблагодарил «потрошителя», поднялся в холл и зашел в бюро ритуальных услуг. Выбрал подходящий гроб и попросил доставить его в общий зал, указав номер бирки, висящей на ноге жены. Велел сделать это немедленно. В таких вопросах деньги решают все. Дай тому, дай другому — и для тебя сделают что угодно. Даже если я приеду сюда ночью и заплачу сторожу, он пустит меня к покойной. Молодой вдовец! Горе-то какое!

Лифт стоял на месте. Я воспользовался маленьким фонариком, зажатым в зубах, чтобы найти кнопку. Но вызывать лифт не пришлось. В здании царила мертвая тишина. Мотор подъемника мог услышать сторож. Это еще одно мое упущение.

Кабина медленно спустилась в подвал и встала как вкопанная. Я открыл двери, но не входил. Тишина. В коридоре горел свет. Возможно, надо было подумать о маске, как-то скрыть свое лицо. И еще. В крайнем случае сторожа придется убрать. Но у меня не было никакого оружия. Придется рассчитывать на авось. Странно, я из тех людей, которые никогда не допускают промахов даже в мелочах. Но только не сегодня.

Будь что будет. Я вышел в коридор и прикрыл двери лифта, но не стал их захлопывать. Теперь нужен темп. Я прошел в мертвецкую, зажег свет и безошибочно нашел нужный стол. Лена лежала спокойно, ничем не отличаясь от трупа. Но я знал, что она меня слышит.

— Извини, дорогая, но Герман до тебя не дошел. Я не принес тебе спасительный эликсир. Никто тебя уже не спасет.

На нее надели сорочку, которую я принес днем. Она не изменилась, лишь слегка побледнела. И все же оставалась чертовски красивой.

Я поднял ее на руки, сбросив простыню на пол — очередная моя ошибка, и понес ее в лифт. Ногой приоткрыл двери, положил ее на пол, закрыл лифт, но чертова кнопка не сработала. Я начал нервничать. Лифт не хотел трогаться с места. И лестницы наверх нет. А если и есть, то я о ней ничего не знал.

Вдруг ручка лифта повернулась. Я вздрогнул и отпрянул в сторону. Кабина была намного шире, чем двери, и я спрятался в углу. Двери распахнулись, и появился сторож. Он выше меня на полголовы. Меня он не видел. Все его внимание было приковано к трупу на полу. Старик обомлел, если не лишился рассудка. Еще не хватало, чтобы он заорал. А ведь мог. Рот открылся, но в зобу дыхание сперло, как сказано у баснописца. Тут сработала реакция. Я даже не понимал, что делаю, и не знаю, откуда у меня взялось столько сил.

Я с разворота со всей силы врезал старику кулаком в подбородок. Он вылетел из лифта пробкой. Коридор был узким, и его голова с силой ударилась о стену. Он отлетел от нее как мячик и уткнулся носом в пол.

Я захлопнул двери и нажал кнопку. Лифт на этот раз тронулся и остановился на втором подвальном этаже. У меня тряслись руки. Я поднял тело Лены и вышел из лифта. Пройдя сквозь зал прощания, я попал в общий зал. И тут мне пришлось включить свет, так как окон, естественно, не было. Только сейчас я вспомнил, что забыл выключить свет в мертвецкой. Очередная ошибка. Уже забыл, какая по счету. Я нашел тот гроб, который купил для своей жены, уложил в него Лену, накрыл саваном.

— Спи спокойно, дитя мое. К Богу ты не попадешь. Тебя ждет ад. Из этого ящика ты уже не встанешь.

Я сорвал с ее ноги номерок, накрыл гроб крышкой и положил номерок сверху. Теперь я мог спокойно уйти.

На этот раз лифт сработал. Я поднялся в холл и спокойно вышел на улицу. Дождь и свежий воздух принесли мне облегчение. Я даже помок минут десять, приняв отрезвляющий душ.

Завтра в двенадцать часов я приеду и официально заберу гроб со своей женой, а потом в крематорий. От нее останется только пепел. За неразбериху в морге я не в ответе. Патологоанатом мне сказал, что завтра я могу забрать тело. Я приехал и забрал. Почему отвез в крематорий, тоже понятно. Не успел заказать место на кладбище. Это ведь тоже не так просто делается.

Я сел в машину, и мне безумно захотелось увидеть Таню. О трупе в багажнике я даже не думал. Это стало моей роковой ошибкой. Я поехал к Тане.

Не помню сейчас, когда вернулся домой. Но самое кошмарное, что возле дома стояла полицейская машина. Я отвез труп к причалу. Особняк стоял совсем близко, окна открыты и во всех горел свет. Моторным катером не воспользуешься. Я тут же привлеку к причалу внимание. Ночью в такую погоду речных прогулок не совершают. Весельные лодки дырявые. Я их перевернул, потом сходил в сарай, достал черный с молнией мешок для трупов, которым обзавелся заранее, чугунный якорь, цепь и замок. Труп запаковал в мешок и спрятал под перевернутой лодкой. Туда же сложил цепь и якорь.

В трех километрах от усадьбы есть причал для местных рыбаков. Там я наверняка найду весельную лодку. Я поехал туда. Полицейская машина все еще стояла у ворот. Они ждут меня. Черт дернул вызвать горничную. Я хотел ее сам допросить, но не дождался. Теперь ее допрашивают полицейские. И я уже не могу ничего исправить. До причала я добрался быстро и лодку нашел подходящую, но тут раздался этот проклятый звонок.

Мало того, меня вызывали в морг, а не домой. Я должен ехать. Труп Германа может подождать и до завтра.

Я сел в машину и спокойно, без нервотрепки продумал свое поведение. Сторож меня не видел. Но он мог заметить исчезновение трупа. Определили имя. Это и есть повод моего срочного вызова. Но я-то тут при чем?

У полиции нет шансов разгадать мою многоходовую комбинацию. Поехал я в морг совершенно спокойным человеком. Но кончилась эта история для меня очень печально.

На этом все. Добавить мне нечего. Труп Германа в воду сбросила Таня по моей просьбе. Я с ней перезванивался. Она же была на квартире у Германа и уничтожила все снимки, сделанные им по заданию моей жены. И тоже по моей просьбе. Нас вместе никто не видел. Я не хочу впутывать девушку в свою кошмарную историю.

Дата. Подпись.

Спустя час после записи

В лабораторию, где сидел Коптилин, следователь пришел один. Андрей то и дело перечитывал свое чистосердечное признание, делая в нем правки.

— Вы что-нибудь написали? — спросил Ильин.

Андрей подал ему несколько листков, над которыми долго мучился. На улице было уже светло.

— Я это написал в надежде, что вы мне поможете, Павел Михалыч. Смерть Германа можно расценивать по-разному. Борьба, самозащита.

— Да, я уже думал об этом. Тремя годами отделаетесь, а тут еще ваши характеристики и хороший адвокат. Я даже не думаю о Садовском. Меня другое беспокоит. Убийство вашей жены.

— Так еще же не поздно. У нас есть время до двенадцати часов дня как минимум. Укол сыворотки поднимет ее на ноги. Она же жива.

— Сожалею. Ампула с противоядием превратилась в осколки. При нападении на сыщика вы приложили слишком много сил. Футляр сдавлен, шприц расколот.

— Минуточку. Надо срочно вызвать Белухина. У него есть раствор. Я это точно знаю.

— Иннокентий Васильевич Белухин сбежал. Естественно, все содержимое лаборатории пропало. Скорее всего, он его уничтожил. Гальперин и Белухин знали о предстоящем вскрытии. Но они не знали, что у вас есть восемьсот пятый препарат. Эти люди накопили немало денег. К вашему сведению, и тот и другой имеют второе гражданство в Израиле. А это государство своих не сдает. Я не думаю, что мы их найдем. А лабораторию и кабинет вашей жены уже обыскали.

— Значит, нам придется ждать смерти Елены, а потом ей сделают вскрытие и меня будут судить за убийство.

Ильин забрал исписанные листы бумаги и сложил их в портфель.

— Но ведь, по сути дела, я защищался? Просто опередил свою жену. Смерть грозила не только мне, но и Тане. Она знала о заговоре.

Ильин закурил и присел.

— Если дело не в девушке, то мотивом убийства могло стать только наследство. Особняк, институт и деньги. Вы все это получите, если год не женитесь на другой. Наивное условие. Тут мы напоролись еще на одну неприятность, Андрей Ефимыч. Дело в том, что девушки по имени Татьяна Алексеевна Сигалова в природе не существует. В доме номер шесть на втором этаже по улице Взлетной никто не живет. Квартира пустует больше двух лет. Соседи ее никогда не видели.

— Кто же сбросил труп Германа в воду?

— Нам неизвестно, сколько он там пролежал.

Андрей схватился за голову.

— Так, значит, все это вы?! Это вы передали девчонке сим-карту моей жены, и она мне звонила!

— Десять лет назад на глазах у этой девочки умерли брат и мать. Мальчика можно было спасти. Он дышал до утра. Мать умерла мгновенно. Удар джипа был слишком сильным. Нас расплющило, и мы без посторонней помощи не могли вылезти из машины. Я и дочь чудом остались живы. И чудом, спустя долгое время, она вспомнила номер машины. Вы тогда с женой испугались и удрали. За десять лет вы ничуть не изменились.

Ильин встал, забрал портфель и поставил на стол небольшой пузырек с пробочкой, на которой фломастером было написано: 907.

— Говорят, ученые любят экспериментировать на себе.

После этого полковник вышел из лаборатории. Его место заняли двое полицейских. У одного из них были наручники. Андрей сделал свой выбор и выпил раствор. Жить ему оставалось сутки.

Девять утра

Руководитель следственного отдела никогда не опаздывал на работу. В приемной его ждал следователь Ильин. При появлении генерала он встал.

— Дело раскрыто. Вот чистосердечное признание убийцы.

Ильин передал генералу папку.

— Последнее дело, Павел Михайлович. И, как всегда, ты выиграл.

Полковник в похвалах не нуждался.

— Гальперина и Белухина освободите, но не раньше чем через сутки. После вскрытия двух трупов, — тихим голосом сказал Ильин. — Никуда они не денутся. Достаточно с них взять подписку о невыезде.

— Двух? — переспросил Станкевич.

— Да. Они решили испробовать препарат на себе. Это их дело. Посмотрим на результат.

— Так и сделаем, — кивнул генерал.

Они пожали друг другу руки и разошлись.

В машине Ильина ждала девушка, очень похожая на Таню, но звали ее Вероникой.

— Ну что, в аэропорт? — спросил он.

— И поскорее. Надо успеть на самолет. Полсеместра прогуляла. Надо нагонять.

Она положила отцу на колени толстую общую тетрадь.

— Удивительно. Почему он делал записи только осенью?

— Думается лучше в глухую пору листопада.

Стиснув зубы

1

Небольшой городок стоял на трассе между Тюменью и Екатеринбургом. Ближайшие города находились не близко — в ста километрах к востоку и в тридцати к западу. Основной поток машин шел в центр России через этот городок, и проезжающие нуждались в еде, бензине, воде, ночлеге, ремонте и прочих мелочах. Бизнес в городе шел хорошо, тут можно было купить все. Но в тридцати километрах к северу построили новую скоростную дорогу. Это был тяжелый удар по экономике — поток машин снизился в три, а то и в четыре раза. В дневное время и вовсе сходил на нет.

Стояла невыносимая жара. За весь июль с неба не упало ни одной капли. На улицу никто не выходил. Там делать нечего. Прятались в садах, у кого они были.

Центральная улица пересекала весь город от въезда до выезда и была когда-то главной ниточкой, связывающей восток с западом. Жилых домов тут не строили. Сплошные магазины, парикмахерские, бензоколонки, мастерские и отели. Добротные домишки в два этажа. И все знали, что очень скоро хозяева этих заведений разорятся. На чудо никто не рассчитывал. Больше ста лет народ жил в этих местах как у Христа за пазухой. Но счастье не бывает бесконечным. Всему наступает конец.

Местный банк располагался в конце центральной улицы с западной стороны, почти на выезде из города. Предпоследний дом.

Возле дверей банка остановился неприметный фургон с затемненными стеклами. Водитель остался в машине, не выключая двигатель, а пассажир вошел в банк.

На улице стояло жаркое безмолвие. Старые крепкие стены банка не пропускали звуков, так же, как и крепкая дубовая дверь.

Вошедший в операционный зал едва успел. В двенадцать финансовое учреждение закрывалось на обед. Секретарша управляющего и одна из двух кассирш уже ушли в столовую. В банке остался сам управляющий, кассирша и охранник, если не считать двух посетителей, заполняющих за столом бланки. Охранник — немолодой мужчина в униформе, скорее всего, уже пенсионер, имел деловой вид и носил на ремне кобуру с оружием.

За всю историю банка никто никогда не покушался на его собственность. Да у нас в стране о таких случаях даже не слышали, кроме громкого ограбления банка «Медетеран» в марте этого года[1]. Да и та история ограбления превратилась в легенду, и в нее мало кто верил.

Налетчики действовали слаженно. Главным был фактор неожиданности. Сидящие за столом тут же надели маски. Вошедший натянул на лицо черную шапку с прорезями для глаз. Сидящие за столом тоже. Один бросился на охранника и выстрелил ему в лоб из нагана, второй перепрыгнул через стойку, за которой без всяких ограждений сидела кассирша, и сбил ее со стула на пол, чтобы она не могла ногой нажать на кнопку вызова полиции. Третий направился в кабинет управляющего.

Все случилось так быстро, что служащие банка не успели понять, что произошло. Выстрел всех напугал, но не стал сигналом к опасности.

— Открывай сейф, сука! — зарычал тот, что перепрыгнул через парапет.

Похоже, он знал, что в самих кассах денег мало. Сейф стоял у стены, в двух метрах от перегородки. И он знал, что ключи находятся у кассирши.

Налетчик подал ей руку и резко дернул, девушка оказалась на ногах. Она не спорила. Пришлось достать из кармана ключ, но у нее сильно тряслись руки и она не могла попасть в скважину. Тут подоспел компаньон налетчика, убивший охранника, с мешком в руках. Похоже, он был самым жестоким из всех. Он приставил ствол к голове девушки и

---

[1] Читайте роман Михаила Марта «Обратная оговорка».

выстрелил. Наган дал осечку. Тогда он ударил кассиршу рукояткой по голове. Девушка повалилась на пол. Ключи подняли и открыли сейф.

Пачки денег полетели в мешок.

В кабинете управляющего происходила другая картина. Когда налетчик с пистолетом в руках вошел в кабинет, управляющий стоял у окна и пил чай. До стола, где имелась кнопка тревоги, было не меньше двух метров. Но он даже о ней не подумал. Подстаканник выпал из рук, и горячий чай обжег ему ногу. Настенные часы начали отбивать полдень. Весь город знал, что в банке начался перерыв и ни один клиент сюда не вошел бы. Народ здесь был дисциплинированный.

— Нервишки побереги, Костик. Меня интересует твой сейф.

Незваный гость бросил два пустых брезентовых мешка на стол.

Управляющий не шевелился. Тогда налетчик продолжил леденящим спокойным тоном:

— За твоим креслом на стене висит портрет Путина. Если сдвинуть его в сторону, мы увидим сейф. Ключи у тебя в кармане. Если ты его сейчас же не откроешь, то я проделаю дырку в твоей дурной башке. Звучит банально, но жизнь или кошелек? Банк и вклады застрахованы. Тебе ли этого не знать.

Управляющий быстро смекнул, что этот тип слов на ветер не бросает. В углу кабинета стоял другой сейф, солидный, большой, но он грабителя не интересовал. О сейфе за портретом на стене знали очень немногие. Налетчик знал. Спорить с ним было бесполезно. Управляющий подошел к портрету, сдвинул его в сторону, достал ключи, пристегнутые цепочкой к ремню, и открыл сейф, после чего отошел в сторону.

— Грузи деньги в мешки, — приказал налетчик.

— Чего уж там грузить. У нас городок небольшой. Доходы и без того падают с каждым днем. Все, что есть, ваше. Только чемоданчик не трогайте. В нем важные документы. Они вам не нужны.

Гость спорить не стал, сам подошел к сейфу и выгрузил деньги. Хватило на полмешка, но чемоданчик — металлический, с номерными замками — выглядел очень соблазнительно. Он и его бросил в мешок. Управляющий вздрогнул. Гость усмехнулся. Значит, не ошибся. Он достал нож и перерезал телефонные и сигнальные провода, а потом потребовал мобильник и ключи от входной двери.

— Быстро, олух! Тебе же спокойней будет.

Получив все, что хотел, он вышел из кабинета. У его напарников все было готово.

— Яша, ты забрал мобильники?

— Все, что нашел, шеф.

— Тогда нам пора.

— Конечно. — Парень, прыгавший через парапет, выстрелил в голову тому, который убил охранника и оглушил кассиршу.

Выстрел был смертельный, добивать не приходилось. Столько крови — и всего-то два мешка денег.

* * *

Настоящие профессионалы по линии ограблений банков ехали в полукилометре от местных налетчиков на двух машинах. В первой, БМВ, за рулем сидел Марик, самый молодой участник ограбления банка «Медетеран», рядом сидела Лера, проявившая себя наилучшим образом. На заднем сиденье устроились Арсений Калиновский и муж Леры Сева Копейкин. Во второй машине с прицепом ехал главарь банды Борис Байчер и Егор. Егор, женившись на Гале, не собирался уезжать из Тюмени. Но решил проехаться с бывшими сообщниками до Екатеринбурга, а назад вернуться на поезде. Они пережидали четыре месяца, пока шло следствие, и внимательно следили за событиями. И только когда горячка кончилась, решили вернуться своим ходом в Москву.

Похоже на то, что их приключения не закончились. Надо же такому случиться, что они остановились прямо за машиной грабителей. Между собой общались по рации, и Борис велел припарковаться у супермаркета, стоящего перед банком.

Остановились. В магазин пошел только Борис Байчер. Он всюду искал особую смазку для своей лодки. Лодка и была погружена на прицеп, который волокла за собой вторая машина. Егор остался в машине. Арсений и Сева из первого автомобиля вышли покурить. В салоне и без того душно. Облокотившись на капот, они о чем-то азартно спорили.

* * *

Патрульная машина по пятому разу объезжала свой участок, и ни гроша приработка. Раньше для гаишников здесь был настоящий рай. Деньги гребли лопатой. А все потому, что в населенном пункте скорость не должна превышать шестьдесят километров. Да кто же по шоссе на таких скоростях передвигается? Западная и восточная окраины были самыми хлебными местами. Не успел глазом моргнуть, как ты уже в черте города — и тут же свисток. К машинам гаишников выстраивались очереди, чтобы дать на лапу да уехать. С появлением новой скоростной магистрали райские времена закончились.

Прямо за банком шла другая улица. Оттуда и вынырнул патруль. Центральная улица прямая как струна, вот за углом и лови свою добычу. Радар в каждой машине есть. Неотъемлемый атрибут всех дорожных полицейских. Но тут возле супермаркета стояли сразу три машины. Стояли, а не ехали. Ушлые менты тоже тормознули.

— У этого фургона знакомые номера, — сказал рыжий лейтенант.

— И что? Машина старенькая, а номера новые. Ты это хочешь сказать? — спросил напарника парень с оспинками на лице.

Лейтенант взял в руки микрофон.

— Катюха, ты меня слышишь? Это Рыжик.

— Слушаю тебя, — ответила диспетчер.

— Пробей-ка мне номерочек тюменский. А триста тринадцать РН, семьдесят второй регион. Где-то он мне уже попадался. И пришли быстренько подкрепление. Мы стоим у третьего супермаркета. В подозрительной машине только шофер. Но сколько их, я без понятия.

— Поняла. «Пятый» к вам выезжает. Сейчас с номерами разберусь.

* * *

Борису повезло. Смазка нашлась. Настоящая, японская. О лодке с парусом он давно мечтал. Грех жить без хорошей посудины на берегу Клязьмы. Все лето на даче, одна радость — удочки. А тут такая посудина шикарная по дешевке попалась. Вдовушка мужнино барахлишко распродавала. Рукастым парнем был покойничек. Содержал яхту в идеальном состоянии. Правда, к ней еще и прицеп пришлось покупать, но оно того стоило. В кассе случилась заминка. Народу никого, кассирша одна, да и у той чековая лента закончилась. Пришлось терпеливо ждать, тем более что перед покупателями извинились. Борис Байчер отличался своим терпением.

* * *

Диспетчер доложила патрулю:

— Лейтенант, ты не ошибся. Номера украдены в Тюменской области. Они принадлежат «Тойоте» восемьдесят девятого года. К другим машинам эти номера не имеют никакого отношения. «Пятый» патруль уже в пути.

— Считай, мы их взяли.

Рыжий положил микрофон и кивнул напарнику:

— Пошли. Пока водитель один.

Оба расстегнули свои кобуры на поясах и вышли из машины. Им надо было сделать десять шагов. Но уж больно навязчиво они преградили дорогу фургону. Водитель сидел спокойно и ждал. На коленях у него появился наган, он взвел курок. Общаться с ментами водитель и не думал. Так, не помеха, а соринка в глазу. Оставалось пять шагов. Совершенно неожиданно открылись двери банка. Первый мужчина вышел с пистолетом, второй тащил два мешка. Они уже сняли маски, чтобы не привлекать к себе внимание уличных прохожих, но бдительность не потеряли. Шофер фургона, не выходя из машины, первым открыл огонь. Полицейские выхватили оружие, но один из них был тут же убит тремя выстрелами в голову. Второй успел выстрелить один раз в грабителя с мешками и попал. Тот, что вышел первым, выстрелил трижды в ответ, и второй полицейский повалился на землю. Бандит не очень точно оценил ситуацию. За фургоном стояла еще машина, а возле нее двое. Неважно, кто они, оперативники или свидетели. Они видели его лицо. Он выстрелил и в них с расстояния семь метров. Пуля угодила Арсению Калиновскому в глаз, он умер тут же. Севе Копейкину поцарапало плечо, но он успел прыгнуть за машину и лечь на землю. Стрелявший бандит подбежал к полицейским и добил одного из них контрольным выстрелом. Шофер выскочил из машины, подхватил мешки и бросил их в открытую дверь фургона, туда же запрыгнул главарь банды. На этом стрельба не закончилась. Лежащий на ступенях крыльца налетчик приподнялся. Он был лишь ранен. Шофер фургона, не раздумывая, выстрелил ему дважды в голову, и тот больше не шевелился. Фургон сорвался с места, сбив патрульную машину с пути. Милицейская «Лада» перевернулась. На дороге поднялся столб пыли.

Сева вскочил, подбежал к передней дверце своего БМВ, открыл ее, схватил жену за рукав и выкинул из машины, как мешок с отрубями. Лера так и не успела понять, что произошло. События промелькнули перед ее глазами как видеопленка на ускоренной перемотке. Копейкин сел на ее место и захлопнул дверцу.

— Гони, Марик! Они от нас не уйдут.

Мальчишка соображал быстро и уже привык выполнять приказы. Похоже, он тоже плохо понимал, что произошло. Включив двигатель, он сорвал машину с места.

Тут из-за угла вынырнула вторая патрульная машина. Столкновения избежать не удалось, но Марик успел увернуться. В итоге у него снесло крыло и помяло дверцу, а «Лада» с двумя патрульными разбила себе весь «передок» и врезалась в столб. БМВ скрылся, не снижая скорости.

* * *

Вышедший из магазина Борис Байчер увидел лишь конец картины: две разбитые машины, двое полицейских, лежащие в луже крови, распластанное на земле тело Арсения с окровавленным лицом и поднимающаяся с земли его бывшая жена Лера, похожую на сомнамбулу. БМВ исчез. Байчер помог Лере подняться, подвел ее к своей «Вольво», и они оба сели на заднее сиденье.

— Надо уезжать, пока менты в себя не пришли, — спокойно сказал Егор, сидящий за рулем.

— Тогда не жди, а трогай, — ответил Борис.

Машина с прицепом медленно тронулась. Они не торопились и ни от кого не удирали.

— Что произошло, Егор? — после паузы спросил Байчер.

Лера трясущимися руками достала сигарету и закурила. Борис по-отечески похлопал ее по руке. Мол, все в порядке. Не нервничай.

— Мы оказались не в том месте и не в то время. Так же, как полицейские. С ума, что ли, сходят от безделья. Решили проверить фургон. Вот и нарвались. Ребята из фургона грабили местный банк. Грубая работа, но у них получилось. Два мешка вынесли. Ну, Арсений им под руку и попался. Сева успел нырнуть за машину. Выжил. А потом они с Мариком рванули вслед за грабителями. Догонят, конечно.

— С чем? Те же вооружены.

— Извини, Боря, — заговорила Лера. — Не все тебя послушали. У Севки под передним сиденьем автомат. Он меня припугнул, чтобы я молчала.

— Зачем ему оружие? Это же статья! Мы обычные обыватели. У нас все чисто.

— Я думаю, Боря, — продолжала женщина, — что с помощью автомата он хотел выбить из тебя нашу долю за банк «Медетеран». В чем-то он прав. Ты решил делить деньги только через год. Все знают, сколько мы унесли. А после того как добычу видели своими глазами, у некоторых крыша поехала. И это притом, что мы прозябали в нищете. Да и не только мы. А Егор с Галей, а погибший Арсений Калиновский, живущий на пенсию инвалида. Ладно еще Марик. Он мальчишка. Да и ты сам не богатый.

— Условия были оговорены до того, как мы пересекли порог банка. Все дали согласие. Мы провернули операцию мирового масштаба. И что теперь? Взять и погореть на мелочевке? Год — это не срок. Вы всю жизнь терпели. Ничего, жили ведь как-то. Мы команда. Мы это доказали. И вот вляпались!

В машине повисла тишина.

— Что у нас впереди, Егор? — спросил Байчер.

— Через тридцать километров Камышлов. Там уже выстроены посты. Поджидают. Погоня за нами начнется не раньше, чем минут через двадцать. Полицейские должны очухаться.

* * *

Первым в себя пришел капитан. Крови на рубашке и лице хватало. Стекла от лобового стекла рассыпались в мелкий горох и торчали в лице и теле. Об этом он мог судить, глядя на своего напарника, лежащего рядом все еще в бессознательном состоянии. Лицо лучше не трогать. Тут нужны врачи и пинцеты.

К счастью, рация работала.

— Алло, ребята, кто там на проводе?

— Слушаю вас, капитан.

— Значит, так. К банку пришлите несколько «скорых». Тут трупов как на поле боя. Поднимайте отделение в ружье. Две самые скоростные машины по трассе на запад. Синий БМВ пятой серии с повреждениями на левом борту и без левого крыла. Сколько их, не знаю, но они вооружены. Скорее всего, брали банк. У меня авария. Я только что очнулся. Соединись с Камышловом. Пусть готовят засаду. Времени в обрез. Доложи обстановку в прокуратуру. Нужны следственные мероприятия. Пока все. Действуйте.

— Задача понятна, приступаю к исполнению.

Капитану пришлось вылезать в окно. Двери заклинило.

* * *

До фургона оставалось метров тридцать. Они неслись на скорости сто сорок. Фургон болтало из стороны в сторону, в то время как для БМВ это вообще не скорость, машина шла мягко и гладко.

— Они будут стрелять, мы слишком близко подъехали, — нервничал Марик.

— Из пистолетов при такой тряске они и в слона не попадут. Зато мы их собьем в два счета.

Сева достал из-под сиденья автомат.

— Черт! — воскликнул Марик. — Откуда он здесь?

— Помни, сынок, ситуации всякие бывают. Вот как теперь, к примеру.

— Так чего ты ждешь? Камышлов на пути. Верст десять осталось. Там наверняка капканы расставили.

— И они об этом знают. Видишь, сколько боковых проселочных дорог. И все в лес ведут. У них должна быть другая машина в запасе. Когда они свернут, тогда я их и уложу.

Сева оказался прозорливым мужиком. Фургон свернул направо, на очень битую дорогу. Тут у него было преимущество. У легковой машины слишком низкая посадка для таких колдобин. Они проехали не больше двадцати метров, и фургон начал отрываться.

— Тормози, Марик.

Тот остановился. Сева выскочил из машины и открыл огонь по фургону. Стрелял не по шинам, а по окнам, чтобы попасть в людей. Попал, выпустив весь рожок. Фургон скатился с обочины и перевернулся два раза, уперевшись в дерево вверх колесами.

Заработала рация. Марик ответил:

— Как дела? — услышал он голос Бориса.

— Хреновые, дядя Боря. Севка подбил грабителей. Если за нами пустили погоню, нас накроют.

— Сева рядом?

— Нет. Пошел к фургону. Ему конец, если там есть кто-то живой. Он израсходовал все патроны. Ответить будет нечем.

— Хорошо. Мы вас временно прикроем. В багажнике лежит рюкзак. В нем есть запасная рация. Возьми ее, пока Сева тебя не видит. По возможности сам выйдешь на связь. Мы скоро доберемся до Камышлова. Там и будем ночевать. Будь осторожен.

— Это я уже понял.

Марик отложил рацию в сторону, достал из багажника запасную и спрятал ее в карман, потом передумал и засунул в сапог. Парень обожал ковбойские сапоги со скошенными каблуками, но джинсы в них не заправлял.

Теперь он стал чувствовать себя увереннее.

Сев за руль, он подъехал ближе к перевернутому фургону. Копейкину повезло. Он убил обоих бандитов. Каждому досталось по три пули и все были смертельными.

— А ты снайпер, — сказал Марик, стоя на дороге.

Сева вытащил из машины два мешка. Один оказался значительно тяжелее другого.

— Нас не видно с шоссе?

— Нет. Но ты не думай, они прочешут здесь каждый метр, если капкан в Камышове не сработает.

Марик заметил у Севы торчащую из-за пояса рукоятку револьвера.

— Зачем ты взял у них оружие?

— Не только оружие, но и патроны. Наган! Оружие революции. Раритет. Он нам еще пригодится. Но это не главное. У шофера в кармане лежала карта местности, и на ней проставлены крестики.

Сева поднялся и показал карту.

— Вот видишь этот крест. Он стоит на шоссе возле поворота на проселочную дорогу. Думаю, на нее мы и свернули. Смотри дальше. Через два километра тропинка отмечена крестиком. На нее мы и свернем. Тропка выведет нас к реке. Тут опять стоит крестик. И на другом берегу крестик. Какой-то из них обозначает машину. Вероятно, есть брод. У них все продумано. Если перебраться на тот берег, мы попадем в Камышлов с другой стороны. Город никак не объедешь. Но в Камышлове есть вокзал. Пойдем по карте. А там как Бог даст.

— Постой, Сева. Во-первых, надо связаться с нашими, во-вторых, уничтожить улики.

Сева снял бейсболку, вытер рукавом пот со лба и присел.

— Погоня начнется минут через двадцать. Да и то они поначалу проскочат мимо. Тут сотни фермерских хозяйств и к каждому идет своя дорога. Мы с тобой уйдем уже далеко. Второе. Мы можем хоть сейчас взорвать обе машины. Бандиты так и хотели сделать. В фургоне лежит ящик с динамитом, бикфордов шнур и детонатор с таймером. А зачем нам заметать чужие следы? Пусть их найдут и опознают. Если мы подпалим машины, то привлечем внимание к этому месту. Дым будет виден за километры. Хочешь позвать сюда ментов раньше времени? Теперь о нашей машине. Полицейские, врезавшиеся в нас, фургона вообще не видели. Искать будут синий БМВ. Мы им даже правое крыло на память оставили. А те, кто видел фургон, убиты. Охота идет на нас, сынок, а не на грабителей. Эту машину покупал Арсений, она принадлежит ему. А он лежит мертвый возле банка. Бандиты убили парня и угнали его машину. Но кто? Нас с тобой никто не видел. Вот отпечатки надо стереть и хлам наш прихватить. А что касается рации, то забудь о ней. Ее надо уничтожить. Менты сейчас все частоты проверяют. Со своими свяжемся, когда будем в безопасности. У тебя же есть сотовый телефон?

— Есть. В машине остался.

— Ничего. Я его заберу и следы почищу, а ты проверь багажник. И быстро! Каждая минута на счету.

* * *

На каком-то отрезке пути Борис подменил Егора и сел за руль. Дальше произошло что-то невероятное. Борис разогнался, резко ударил по тормозам и вывернул руль вправо. Машину развернуло, прицеп опрокинулся, и без того узкую дорогу преградила упавшая поперек шоссе яхта. Путь в обе стороны был перекрыт. Откосы крутые и глубокие. Объехать препятствие невозможно.

Егор перекрестился.

— Бог мой, что произошло?

— Предотвратили погоню, — спокойно ответил Борис. — Берем огонь на себя.

— Это еще семечки, — сказала Лера. — Ты бы видел, какие выкрутасы он на легкомоторных самолетах вытворяет. Циркач.

Она поправила свою прическу.

— Да, тут человек десять нужно, чтобы приподнять вашу яхту, Борис Дмитрич.

Ждать пришлось минут двадцать, и вскоре они появились. Два патрульных «Форда фокуса» и четверо полицейских. Бедолаги едва успели затормозить.

Старший вышел, посмотрел на перекрытую дорогу, уперев руки в бедра, и протянул:

— Это как вас так?

Исчерпывающий вопрос.

— Да вот, такой же гонщик, как вы, подрезал. Вообще-то их было двое. Фургон и БМВ. Летели как на пожар. А я водитель средний. От тележного скрипа шарахаюсь.

— Документы.

Борис подал свой паспорт, права и документы на лодку. К ним присоединилась Лера.

— Извините за неудобства, лейтенант. Что вам наши бумажки, помогли бы лошадку на копыта поставить.

— А вы кто? — спросил офицер.

— Его жена. Валерия Байчер. Паспорта нет, но удостоверение министерства иностранных дел имеется. Я референт МИДа. Пишу статьи на международные темы в специализированные журналы. Мы с мужем в Тюмень за наследством ездили. Мой брат Богу душу отдал и оставил мне в наследство эту чудную яхточку. У нас дача под Москвой на берегу водохранилища. А это муж моей сестры Егор. Он у нас в качестве гида. Обещал сопроводить до Екатеринбурга, а дальше мы дорогу найдем.

Байчер поражался обаянию своей жены. Менты взялись за дело. А тут еще пара машин с обеих сторон подъехала. Общими усилиями за час с небольшим прицеп с яхтой принял вертикальное положение. В погоне уже не было смысла. Патрульные машины повернули назад.

Егор опять сел за руль. Одного фокуса ему хватило.

— Разве ты Байчер? — спросил Борис Леру.

— Конечно. Ну, во-первых, мы с Севой не расписаны, а во-вторых, ты же не думаешь, что референт МИДа будет менять фамилию Байчер на фамилию Копейкина?

— Да. Звучит не очень. Но эта фамилия очень подходит твоему теперешнему мужу.

— Сожителю, — со злостью обронила Лера, а через долгую минуту добавила: — Бывшему.

2

Следователей в городе не нашлось, приехал дознаватель из следственного отдела, к тому же женщина, да еще и молоденькая, но с высшим юридическим образованием, чем вызывала к себе уважение. В полиции вообще людей с образованием не имелось, но зато опыт у всех был богатый. Следствие возглавлял начальник отделения майор Котов. Человек уже не молодой, когда-то был подполковником. Рост карьеры прекратился в тридцать пять. Дальше пошли сплошные понижения. И вот докатился до самой незаметной дыры на перегоне между Тюменью и Екатеринбургом. Работа его не интересовала, он ждал как манну небесную выхода на пенсию. И вдруг такое ЧП. Так и вовсе могут выгнать и лишить звания, а значит, и пенсии. На данный момент у него отдыхал старый приятель из областного центра, очень известный криминалист Игорь Лавренев. Они когда-то работали вместе. Теперь старые друзья приезжали к Котову только в отпуск. Уж больно сад у него был хорош и рыбалка на озере отменная. Котов был гостеприимным хозяином, и люди это знали. Майор прихватил с собой Лавренева. Такие специалисты на вес золота.

Место происшествия выглядело как поле боя. Трупы прикрыли от сильной жары и от мух чем попало.

Капитан доложил начальнику все, что видел. Но видел он слишком мало. Удар и все. Еще машину запомнил, а валявшееся на дороге крыло подтверждало его показания. Возле дверей банка стояли две женщины. Зевак на такое зрелище не нашлось. Народ, живший здесь, не страдал любопытством, а от неприятностей прятался по домам.

— Ты в банк заходил? — спросил майор капитана.

— Они заперлись. Вон две кукушки стоят. Пришли из столовой, так они и своих не впускают. Ключи от дверей на лестнице валяются. Но они на щеколду закрылись.

— Может, кто-то из бандитов там остался?

— Нет, — покачал головой капитан. — В кабинете начальника окно без решеток. Оно выходит в сад по другую сторону дома. Если там кто-то и остался, то уже смылся. Здание не окружали. Некому.

— Живых, как я понял, нет. Работать придется без свидетелей.

— Номер машины есть. Вот он и вызвал подозрение у Хабибуллина. Запросил диспетчера на его идентификацию. Номер оказался краденым. Тогда он затребовал подмогу. Я с напарником выехал. А дальше я уже докладывал. Эти две девчонки у входа ничего не видели. Они ушли из банка без десяти минут двенадцать. Значит, бандиты вошли в банк в течение десяти минут, оставшихся до обеда. Хабибуллин заметил машину ровно в двенадцать. Ну а потом, получив подтверждение от диспетчера, пошел в атаку. И напоролся. Все длилось какие-то минуты. Мы сюда прибыли десять минут первого. Бандиты уже сматывались.

— Ладно, к черту. Пошли в банк.

Майор, а следом и его приятель поднялись по ступенькам и начали барабанить кулаками в дверь.

— Открывайте, полиция!

Через пару минут дверь все же открылась. За ней стоял напуганный до смерти управляющий.

Котов его оттолкнул и вошел в помещение. На полу лежали еще два трупа: один в униформе охранника, второй в маске. Эксперт тут же занялся убитыми. Майор грубо схватил управляющего за рукав и усадил на стул.

— Рассказывайте. Все и без утайки.

В банк вошли две девушки, те, что топтались у входа и ушли на обед раньше времени. Это они нашли вторую кассиршу с проломленной головой за перегородкой. Девушка уже не дышала.

— Еще одна жертва, — сказала секретарша и заплакала.

Капитан, зашедший за перегородку, тяжело вздохнул:

— Сволочи.

— Я был в своем кабинете и ничего не видел, — оправдывался управляющий. — Дверь открылась, и вошел человек с пистолетом. Он знал, где находится мой сейф. Заставил меня его открыть и набить мешок деньгами. Хотя смешно говорить о мешках. Я уж не знаю, на что они рассчитывали. В сейфе лежало полтора миллиона рублей с копейками. По сегодняшним меркам это не деньги. Потом этот тип перерезал все провода и вышел. Дверь осталась открытой. Я видел, что выходили из банка двое. Тот, что был в моем кабинете, и его напарник. На ходу они скинули маски. Но я видел лишь их затылки. Я тут же бросился к двери и запер ее на щеколду.

Майор повернулся к эксперту, который успел осмотреть труп на улице. Ему хватило полминуты на тело, чтобы сделать выводы.

— Что скажешь, Игорь?

— Не многое. Нужно все сфотографировать и отправить тела на вскрытие. Возле бандита в помещении валяется наган. Такой же возле налетчика на улице. Охранника убили из нагана. Судя по травме на голове, кассиршу оглушил этот тип, что валяется в помещении. Рукоятка нагана в крови. Его прибили свои же. Выстрел в затылок и, похоже, тоже из нагана, того, что остался на улице. Номера оружия не спилены, так что их можно проследить. На сегодняшний день наган — оружие редкое. Но стволы в отличном состоянии. Надо бы в первую очередь проверить банки, где есть инкассаторские службы. На периферии инкассаторы до сих пор пользуются наганами.

— К вам инкассаторы приезжают? — спросил Котов управляющего.

— Да. Из центральной конторы. Мы же филиал. Нас таких два десятка по округе. Приезжают раз в неделю. Но они ходят с автоматами. Мы принадлежим частному банку «Восход».

— Они знают о вашем сейфе за портретом?

— Нет. Сумки с деньгами для них уже запломбированы и квитанции готовы. Они даже в мой кабинет не заходят. Сумки им кассирша выдает. Та, которую убили.

— Кто знает о сейфе в вашем кабинете?

— Только свои. Те, кто здесь работает. Нас всего шесть человек, включая двух охранников, но они работают через день.

— Какова общая сумма украденного?

— Не больше трех миллионов рублей. Сегодня же только понедельник, а инкассаторы забрали выручку в пятницу. Не тот день они выбрали для налета. И он мне вообще не понятен. Надо было грабить инкассаторскую машину. Они ездят по вечерам по пустому шоссе, от города до города. К двенадцати ночи у них полная машина денег.

— Три миллиона на семь трупов, — усмехнулся капитан. — Человеческая жизнь стоит меньше полумиллиона.

— Да, цена не высокая, — сказал эксперт Лавренев. — Но вряд ли бы они убили своего, если бы знали, что на улице их поджидают полицейские. Что касается убитого мужчины без оружия, у него протез вместо ноги. В кармане документы. На дело с паспортами не ходят. А также при нем документы на синий БМВ. Я думаю, он стал случайной жертвой. Бандитам понадобилась машина. Одно могу сказать точно. Налетчики были отличными стрелками. Ни одного промаха. Но полицейских все же добили. Причем, скорее всего, из «Макарова». Пули девятого калибра, а у нагана калибр семь шестьдесят два.

— Пистолет «Стечкина», — поправил управляющий. — Их главарь, который заходил ко мне в кабинет, держал в руках пистолет «Стечкина». Я немного разбираюсь в оружии.

— Редкая игрушка, — добавил эксперт. — Такие получали командиры, воевавшие в Чечне. И у боевиков их немало. Могли забрать как трофей у бандформирований. В России такой пистолет достать невозможно. Они есть только у спецназа ФСБ.

— Уже что-то, — сказал майор.

Капитан ответил на звонок мобильного телефона. Выслушав, он положил трубку в карман.

— Диспетчер докладывает. Прошло более полутора часов. Ни одна из подозрительных машин в Камышлов не заезжала. Полагаю, надо поднимать в ружье весь район от Талицы до Камышлова по цепочке в сто километров и обыскивать местность. Взять в кольцо отрезок от нас до Камышлова. Там полно подсобных хозяйств. У бандитов должен быть перевалочный пункт. Сейчас они залягут на дно. Ясно одно. На новую трассу они не прорвутся, а «железка» есть только в Камышлове. Надо отрезать все выходы из нашей зоны и наводить в кольце шмон.

Майор кивнул. Он и не знал, что его зам такой сообразительный.

* * *

Наконец-то тропинка вывела их к реке. Марику пришлось тащить на себе тяжелый мешок, а Сева взял легкий. Увиденное стало для обоих неожиданностью. На берег была вытащена лодка с мотором, и ничего больше. Лес подступал к самой воде, и проехать сюда на машине невозможно, да и берег рыхлый и порос камышами. Сама река относительно широкая.

— Отлично! — сказал Копейкин. — Второй крестик стоит напротив. На том берегу.

— Но там тоже нет машины. Сплошной лес стеной.

— Правильно. Тот берег покатый. Надо идти в гору. И больше крестов на карте нет, значит, там должна быть тропа, которая нас выведет куда надо. Давай-ка, Марик, спустим эту посудину на воду.

Лодка легко скатилась, так как была сделана из простого сплава, и всю тяжесть взял на себя мотор. Благодаря единственному веслу они протиснулись сквозь заросли камыша на ровную гладь воды и завели мотор. Сева сел за управление и выровнял руль, чтобы выйти на другой берег точно напротив брошенной стоянки. Путь занял минут десять. Течение было слабое, так что их не снесло. Выбравшись на другой берег, Копейкин заставил Марика раздеться, войти в воду, оттащить лодку от берега и затопить. По логике вещей он все делал правильно, но парень все время думал о том, что, как только они выберутся в безопасное место, он получит пулю в спину.

Сева тем временем вынул батарейки и симкарты из сотовых телефонов и выбросил их в воду вместе с рацией. Он обыскал одежду мальчишки, но ничего не нашел, вот только в сапоги не догадался заглянуть.

Марик выбрался на берег.

— Одевайся, а я поищу тропку.

И он ее нашел. Их снесло всего на несколько метров вниз по течению.

Закинув мешки за спину, они двинулись в путь. Пришлось подниматься в гору, что было значительно тяжелее.

— Мы находимся примерно на одном уровне с Камышловом. Город справа километрах в трех. Нам удалось обойти шоссе стороной. Мост через реку находится на самом подъезде к городу. С этой стороны нас не ждут. Молодцы ребята, все продумали. Значит, знали, за что стараются.

— Своих не убивают, — ответил Марик. — А они его добили у входа в банк.

— Ну не у банка, так чуть дальше грохнули бы, — рассмеялся Сева. — Это же часть их плана. Мы ухлопали двоих. Вот они и были основными. А напарника или напарников наняли. Причем выбрали отъявленных уголовников. Те уже наверняка сидели за грабеж. Ясное дело, что трупы опознают. И никто не удивится результату. Настоящие профессионалы никогда не станут грабить мелкий банк, да еще по понедельникам, когда там нет выручки, а с учетом того, как они продумали отход, тут работали головастые ребята. Так вот, двое умников берут себе в напарники кровожадных лохов, а потом оставляют их на месте преступления. Вот только полиция денег никогда не найдет. Потому что мы к этой истории не имеем ни малейшего отношения. Вот так вот. Нас не видели, о нас не знают.

— А брошенный на дороге труп Арсения?

— А как его можно увязать с нами? И потом Арсений инвалид войны, герой. Три ордена мужества. Его ни с кем из нас, а тем более с бандитами связать нельзя. Жаль мужика. Но мы за него отомстили. Когда мы погнались за налетчиками, я даже не думал о деньгах. Хотелось этих сволочей наказать. А потом подумал, а почему бы не убить двух зайцев сразу. Борис нам гроша ломаного с нашей собственной доли не дал. А мы целую машину бабла вывезли из банка «Медетеран».

— Борис Дмитрич знает, что делает. Он умнее нас в тысячу раз. Это по его плану мы работали. Он не оставил следствию ни одной зацепки. Мы четыре месяца жили у них под носом и наблюдали за их работой и чуть ли не контролировали ее. А они о нас ничего не знали.

— Ладно, ладно. Байчер гений. Но что он без нас? Мы всю работу выполнили, тоннель рыли, стены взрывали, заложников сортировали. И все по секундомеру.

— Надо бы ему позвонить, — предложил Марик.

— Надо сначала в город попасть и найти тихое местечко. А сейчас еще рано в трубы трубить.

Они вышли на поляну. Вокруг лес, а посреди поляны — джип «Ниссан».

— Вот и дошли, сынок. Теперь можно передохнуть.

Ключи от машины нашли быстро — в выхлопной трубе. Сева знал, где их можно прятать. Забрались на заднее сиденье и вытряхнули все из мешков. Улов был смехотворным. Гора денег в пачках, но достоинство купюр огорчало. В большинстве своем пятидесятирублевые и в редких случаях сотенные. Один лишь стальной чемоданчик, больше чем обычный кейс, мог привлечь к себе внимание. Замки шестизначные, номерные, закрыт накрепко.

— Может, поедем, — предложил Марик. — Солнце уже валится к закату.

— Не гундось, парень. Дорога где-то рядом. Найдем. Поедем, как стемнеет. Загляни в багажник. Нужны инструменты. Лучше всего зубило и молоток.

Нашли инструменты и даже лопату. Долбили усердно и долго и, наконец, замки поддались. Открыли крышку и замерли. Чемодан был забит деньгами. Прессованные пачки по тысяче купюр в каждой, в целлофановой обертке и с ленточками банка. На этикетке одного такого кирпича написано: 500 000 евро. В чемодане лежало десять таких блоков.

— Мать честная! Тут же пять миллионов. А сколько это в наших, если пять лимонов умножить на сорок? Охренеть можно. Я знал, что эти ребята не за мелочью полезли.

Марик лишь глазами моргал. Он видел такие пачки в хранилище банка «Медетеран». Там они лежали на полках штабелями и не впечатляли. А тут в чемоданчике в собственных руках они приобрели значение денег.

— Надо их зарыть, — предложил Марик. — Заберем потом, а сначала проведем разведку.

— Нет, парень. Этих денег я не выпущу из рук. Зароем мешки с мелочью, а чемодан берем с собой. Иначе мне придется тебя пристрелить.

— Можно подумать, ты таких планов не строил.

— Нет, не строил, — уверенно заявил Сева. — Ты еще мальчишка. Мы в одной каше варились. Я не сволочь. Но ты мне планов не ломай. Тогда выживешь.

— Мне этих денег не надо. Я год подожду и получу свою заработанную долю.

— Эти деньги тоже заработаны! Они не с неба упали. Миллион тебе полагается за помощь и содействие.

— А как же остальные?

— А где они? Что-то я их не видел в нашем деле. Пусть Байчер забирает свою бывшую жену от меня в подарок, а я и так проживу с такой кучей бабла.

Марик ничего не ответил.

— Ладно, давай закопаем мешки и будем выдвигаться в город. Хватит с нас лесных угодий.

3

После дерзкого ограбления банка «Медетеран» всемогущая Фаина Гурьева, личная секретарша убитого ею же управляющего, попала под подозрение, и не без оснований. Ее очень ловко подставили грабители, но она так их и не нашла. Самой же Фаине пришлось бежать. Она была женщиной умной, очень расчетливой и дальновидной, но в такую лужу ее еще никто не сажал. Пришлось перебраться в Екатеринбург и залечь на дно. Фаина все еще оставалась подозреваемой номер один, и за ней шла охота. Одно она для себя поняла — ей никогда не очиститься от грязи, пока настоящие налетчики гуляют на свободе. Все попытки выйти на их след ни к чему не привели. План ограбления выглядел как гениальная военная операция.

Сегодня она получила по электронной почте несколько фотографий от своей сестры, которую тоже устроила на работу в банк. Младшая сестра работала на нее в качестве агента. На большее она была не способна. Девчонка не имела качеств, присущих Фаине, и тупо выполняла все задания старшей сестры.

На снимках изображены трупы двух мужчин, валявшихся на улице. Одного из них она узнала. Его внешность врезалась ей в память на всю жизнь. Это он в день ограбления «Медетерана» в форме гаишника остановил ее машину, придрался к мелочам, сам сел за руль ее «Мерседеса», вырубил с помощью хлороформа, и она очутилась связанной в грязном подвале, а ее машину нашли возле банка. Так она осталась без алиби. Ясно одно. Тот самый гаишник — член банды грабителей. И если его фотографии прислала сестра, значит, трупы лежат на улицах Юрмача, маленького городка между

7 Зак. 1467

Камышловом и Талицей. Самый центр старой трассы между Тюменью и Екатеринбургом. Это совсем рядом, километрах в ста пятидесяти от ее дома.

Фаина тут же позвонила сестре, и они решили пообщаться по скайпу. Именно так Фаина давала сестре задания, и они считали такой вид связи самым безопасным. На экране появилось лицо Марины. Очень хорошенькая девушка лет двадцати пяти. Она выглядела взволнованной.

— Что за снимки? Где ты их взяла? — без вступлений начала Фаина.

— Есть еще третий труп, он лежал в помещении банка, но его я не смогла сфотографировать, так как там были полицейские. На наш банк был совершен налет сегодня утром. Убит охранник, кассирша, двое полицейских и трое неизвестных. Но теперь неизвестные установлены. Работали по наводке. Налет совершен за пять минут до обеда. Юлька, одна из кассирш, позвала меня в столовую. Мы ушли без десяти двенадцать. Все произошло без нас. Теперь полицейские подозревают нас в первую очередь. Мол, смылись от греха подальше. Подозревают и убитую Машку. Вроде бы бандиты убрали ненужного свидетеля и двух своих подельников. Оба опознаны. Недавно освободились. Вероятно, их прикончили специально, чтобы полицейские не раздували дело и не занимались поисками. Тот, что на улице с пулей в глазу, имел при себе документы. Он в банк не заходил. Некий Арсений Калиновский. Из банка вышли двое. Они убили двух полицейских, своего и Калиновского. Потом сели в его машину и смылись. О других сообщниках ничего не известно. Может, их было больше.

— Откуда такие подробности? Ты же ничего не видела?

— Парень, с которым я сплю, капитан полиции. Он от меня ничего не скрывает. Правда, он не знает, что я сплю и с нашим управляющим — Костей Рюшкиным. Но это по твоему заданию, а не для души. Рюшкин женат, прекрасный семьянин, имеет троих детей. Но полиция не знает главного. Рюшкин по воскресеньям ездит в Екатеринбург и привозит кейс с деньгами. А в понедельник в конце рабочего дня за кейсом приезжает пара крепких вооруженных ребят. Думаю, они такие же курьеры, как и Костя. О кейсе Рюшкин промолчал. Я думаю, он даже не знает, что в нем. Мы с ним пытались заглянуть внутрь, но кодовые замки так и не сумели разгадать. Тебе об этом больше известно, чем мне. Полиции ограбление показалось странным. Унесли три миллиона рублей с копейками. Но налет хорошо подготовлен. А главное, налетчики знали, где расположен сейф в кабинете управляющего. Наводка налицо. Подозреваемых четверо. Я, Юлька, убитая Машка и сам Рюшкин. Но кто же позарится на такую мелочь?

— Где ты взяла фотографии?

— Периферийные менты приезжают на место происшествия как в гости. Эксперт приказал сделать фотографии, прежде чем уберут трупы. Меня послали в супермаркет по соседству купить какую-нибудь «мыльницу». Я пошла и купила, но взяла две флеш-карточки. На одну сфотографировала трупы на улице и забрала ее себе, а чистую вставила и отдала ментам.

— Молодец. Хорошо соображаешь. Не зря я тебя всему учила. К кому в воскресенье ездил Рюшкин?

— Как я понимаю, к директору центрального банка «Восход». Он не сказал мне напрямую, а просто вякнул, что едет к шефу. А шеф у него один. Но Точилиным ты занимаешься. Тебе о нем все известно. Я лишь прослеживаю ход операций. Так вот. Железный кейс хранится в сейфе Кости только один день. И то лишь до вечера. В этот день и произошел налет. Но я точно знаю, что Костя не мог быть наводчиком. Ему за этот кейс башку оторвут. Я тоже ни при чем. Мне ни к чему светиться с моим прошлым. Остается Юлька или Машка. С Машки уже не спросишь, но на нее можно все грехи спихнуть. Ну а Юлька слишком глупа, чтобы такие дела прокручивать. Правда, у нее есть парень, которого никто не видел. Встречается с ним не очень давно, и вроде бы как не местный. Однажды она проболталась, мол, знакомы они очень давно, но встречаться начали только теперь. Вроде как случайно встретились, и между ними пробежала искра. Какая там, к черту, искра. Она страшна как смертный грех, с мужеподобной фигурой, плечи шире задницы. И потом, это Юлька позвала меня в столовую раньше времени. Обычно мы уходим позже двенадцати, а тут ей приспичило.

— Все ясно. Теперь слушай. Из окон супермаркета все видно, а стрельбу слышно. Сама не лезь. Но своему капитану дай эту зацепку. Если они тебя посылали за фотоаппаратом, значит, сами туда не заходили. Меня интересует все, что происходило на улице. Все детали. Свидетели и очевидцы всегда существуют. Важно их найти.

— Поняла.

— Умница. И тут же все новости мне на стол. На сегодня все, Мариша. Пока.

Фаина отключила связь. Господин Точилин ее давно интересовал. У него, как и у всех директоров банков, была своя ячейка в банке «Медетеран». А Фаину очень интересовали люди из банковской системы, периодически она проверяла их личные сейфы и на каждого заводила досье. Но в тот злополучный день, когда гаишник запер ее в подвале, грабители обчистили именно частные ячейки, не притронувшись к государственным деньгам. И что самое интересное, они унесли не только деньги, но и все документы, увеличив и без того тяжелый груз вдвое. Значит, их интересовали не только деньги, но и люди, хранившие их в личных сейфах. Сейчас она уже не помнила всех деталей и подробностей, а досье на Точилина осталось в Тюмени в надежно спрятанном архиве. Но основные позиции она держала в памяти и даже знала, где живет Точилин. По большому счету он тоже не был главным игроком, а работал на мафию по обороту наркотиков. Некоторые имена ей были известны. И о деле она знала немало. Можно вступить в игру. Рискованно, но можно. У Фаины вся жизнь была связана с риском. Сейчас ее беспокоил другой вопрос: зачем нужны деньги налетчикам, обчистившим банк «Медетеран»? Они заполучили документы из ячейки Точилина. Значит, знают о нем не меньше, чем она. Эти умники могли все просчитать. У них имелось четыре месяца на изучение. Но что для таких людей каких-то пять или семь миллионов евро, если они сняли не меньше полумиллиарда? Ради развлечения, от скуки и безделья? Смешно. Но убитый кем-то Арсений Калиновский не случайный человек, а член банды, из-за которой Фаина лишилась всего, да еще попала в федеральный розыск. Тут нужен тщательный анализ всей ситуации. Одно она знала точно: надо включаться в рискованную игру. В своих способностях Фаина не сомневалась. История с ограблением банка «Медетеран» всплыла на поверхность неожиданно, и такой момент упускать нельзя!

* * *

Камышлов оказался небольшим городком с множеством увеселительных заведений, разгар работы которых приходился на поздний вечер. Тут имелось все, что душе угодно, только деньги припасай. Помимо множества отелей, на вокзале предлагалось жилье в частном секторе. Но тут открылась неприятная новость. Всех бабулек, предлагавших комнаты и даже отдельные дома, выгнали с перронов на привокзальную площадь, так как проход к поездам перекрыла полиция, которая проводила личный досмотр отъезжающих, вплоть до карманов. Сева насторожился. Они сняли домик у одного инвалида в тихом местечке в саду. Старика усадили в джип, и он показал дорогу. Им позволили срывать вишню и рвать смородину с кустов. И все это за сущие гроши. Домик в саду и впрямь выглядел уютным, прибранным и стоял на приличном расстоянии от хозяйского дома. Вот только обе комнаты были заставлены койками.

— Ты, дед, сюда больше никого не приводи, — сказал Сева, осматриваясь. — Я тебе заплачу за все койки. Хочу с сыном по-человечески отдохнуть.

Люди приличные, даже богатые, если ездят на дорогой машине, и хозяин согласился.

— Туалет и умывальник на улице. В десяти метрах. Вода в ведрах. Чистейшая. Отдыхайте. Не буду вам мешать.

— Вот что, сынок, теперь называй меня отцом. — Сева положил купюру в пятьсот евро на стол. — Пройдись в город. Осмотрись, может, здесь есть обменники валюты. Попробуй разменять. Уходи закоулками. Тебя проследить могут. О чемодане с валютой ментам ничего не сказали. Уверен в этом. Молодого мальчишку ни в чем не заподозрят. И купи пару бутылок водки. После такого тяжелого дня надо бы расслабиться. А главное, пожрать купи. У меня желудок к спине прилип. И быстренько.

Марик не спорил, взял деньги со стола и ушел в город, запоминая дорогу. Поняв, что Сева за ним не следит, он достал из сапога рацию и включил связь. Борис тут же откликнулся. Они давно уже въехали в город, минуя все кордоны и не вызывая ни у кого подозрений. Сигнала ждали на привокзальной площади, где недавно были Сева и Марик, но «Ниссан» не привлек их внимание, и они упустили партнеров.

— Борис Дмитрич, это я. Мы сейчас в Камышлове. Сева убил грабителей, но, помимо мелочевки, мы взяли железный кейс с пятью миллионами евро. Сняли домик в саду. Батайская улица, дом пять. Южная окраина города. Сева дал мне пятисотку и велел найти обменник. А также велел купить водки. Пока я гуляю, он чемодан спрячет. Наверняка. Что делать?

— Чемодан был открыт?

— Нет. Замки с шестизначными кодами сшибли зубилом.

— Я понял. В обменник не ходи. Возьми водки, найди шлюху и купи у нее клофелин. Они здесь все клофелинщицы, проезжающих обирают. Баров на центральной улице полно. Там проституток как голубей на площади. Когда Сева вырубится, дашь мне знать. Действуй.

Байчер отключил рацию и обратился к Егору:

— Тебе придется срочно вернуться в Тюмень. В твоем гараже весь наш архив из ячеек «Медетеран». Я его отсортировал. Банкиры лежат в коробках от пятого до десятого номера. Их человек десять. Нам нужен человек, имеющий отношение к банку «Восход». Там должны упоминаться города Екатеринбург, Юрмач, где ограбили банк, и, возможно, Камышлов и Талица. Там же может лежать бумажка с шестизначными кодами. Два таких номера. Мы должны найти этого банкира раньше, чем он найдет нас.

— А ты останешься один?

— Не один, а с Лерой. У нее голова работает. А сила нам не нужна. Против тех, с кем нам придется воевать, сила не поможет. На стену нападать бесполезно. Нам нужна информация, в ней наша сила. Тебе следует поторопиться. Садись на первый же поезд до Тюмени.

— Я все понял.

Егор вышел из машины и направился к вокзалу.

— Может, ты меня переоцениваешь? — спросила Лера.

— Боюсь, я тебя недооценивал, когда ты была моей женой.

* * *

Марик зашел в бар. Девушек, готовых на все, здесь хватало. Он потоптался, выпил пива у стойки, и голубка сама прилетела.

— Такой красивый парень и такой одинокий. Я могу развеять твою тоску. Хочешь?

— А сколько ты за это возьмешь?

— Пятьсот деревянных. Зато всю ночь ублажать буду.

— Ты получишь тысячу. Мне нужен клофелин.

Девушка растерялась.

— Чего-то я тебя не поняла, красавчик?

— Если у тебя нет, так найди. Мне нужна убойная доза.

Она помотала головой по сторонам.

— Ладно, сделаем.

Девушка исчезла и появилась через десять минут.

— Заказ выполнен. Бабки вперед.

— Без лажи? Настоящий?

— Ты же просил убойный. Если что не так, ты меня всегда здесь найдешь.

Он повернул голову и впервые увидел ее.

Девушка оказалась очень миленькой и совсем сопливой. Ребенок, не иначе.

— Тебя как зовут?

— Спросишь Виолетту, и я тут же нарисуюсь.

— А настоящее имя у тебя есть?

Она засмеялась.

— Конечно. Клавкой меня зовут. Только с таким именем бизнес не сделаешь. Тебе-то зачем? Под венец собрался меня вести? Так я согласна, лишь бы из этой дыры уехать.

— Чтобы иметь больше клиентов? Так в Москве конкуренция. Там таких сотни тысяч.

— Дурак! Была бы здесь работа, я бы на панель не пошла. Да что ты понимаешь в жизни? Салажонок!

Марик положил тысячу на стойку, а она сунула ему в карман пакетик с порошком.

— Тут на три раза хватит. Удачи.

У дверей он оглянулся. Клава исчезла.

Дорогу он запомнил и даже на неосвещенных улицах хорошо ориентировался.

Сева уже нервничал.

— Куда ты провалился?

— Обменников здесь много, но все они закрыты.

— Ладно. Завтра утром попробуешь. В город поедешь на джипе. Обменяешь деньги и тут же смоешься. Машину бросишь на привокзальной площади. Она нам больше не нужна. Выезд из города тоже перекрыт. И это не на один день. Без документов на чужой машине лучше не кататься. Давай водку и жратву.

Марик улыбнулся.

* * *

Константину Макаровичу Рюшкину пришлось приехать поздней ночью в Камышлов, где на конспиративной квартире его ждал директор центрального банка «Восход» Игнат Аркадьевич Точилин. Разговор начался довольно мягко.

— Я в курсе событий, Костя. Все это выглядит фантастично. У нас нет и не может быть никаких оправданий. Поставщики не получили денег, а товар мы уже забрали, расфасовали и отдали на реализацию. Его даже теоретически невозможно вернуть. Мы за него не заплатили. Нам доверяли, и в нашей надежности никто не сомневался. И вдруг мы подвели людей. Можно сказать, обманули. Именно так и расценивают наш дерзкий выпад. Что я могу тебе сказать? Если мы не отдадим деньги в течение трех дней, то мы трупы. В этом можешь не сомневаться. Эти ребята в наше положение входить не будут. Мы лишь один из винтиков их огромной машины по реализации. Обойдутся и без нас. Старый ушлый мент полковник Рогозин принял их сторону. Он читал отчеты камышловской полиции. По его мнению, люди, знавшие расположение твоего сейфа в кабинете, прекрасно осведомлены, что совершать налет в понедельник — обычная потеря времени. Речь может идти только о сговоре. И мы с тобой первые подозреваемые. С такими людьми не шутят. Я готов вложить свои деньги, лишь бы восстановить порядок. Но ты же знаешь, что я голый после налета на банк «Медетеран». Получается, будто я решил возместить свои убытки за чужой счет.

— Так никто думать не будет, Игнат. Ты же не ребенок и знал, что нас поставят на счетчик. И я это понимал. Нас глупо подозревать. И это не те деньги, ради которых рискуют шкурой.

— Не те? — Точилин ударил кулаком по столу так, что рюмки подпрыгнули. — Они у тебя есть? Возместить потерю можешь?

— У меня трое детей, Игнат, и точка позорная, на которой много не наваришь.

— Однако секретаршу свою возишь по итальянским курортам и даришь ей бриллианты.

— Согласен. Вот на нее все деньги и уходят.

— Ее и пришьют первой. А потом нам дадут еще три дня.

Рюшкин побледнел.

— Марина — умная девчонка. Она о моих делах знает. И понимает, что мне грозит. Зачем же ей рубить сук, на котором она сидит.

— Это все, что ты можешь мне сказать, Костя?

— Я в полной растерянности. Трех дней нам не хватит. Можно подозревать в наводке двух кассирш. Машку убили. Возможно, таким образом заткнули ей рот. Юлька могла просто проболтаться, где не надо. Но она не в деле. У нее родители больные и бросить она их не может. Зачем ей деньги в Юрмаче? Супермаркет скупить? Умные люди давно покупают земли вдоль новой трассы и начинают там строить свой бизнес. А она привязана.

— Дурак! С такими деньгами она и родителей вывезет куда угодно, и на свой бизнес денег хватит, и на покупку земли, и на строительство, и на мужа.

— Да, согласен. Если ей все деньги достанутся. Но ей полагается лишь доля за наводку.

— Бесполезный разговор. Но начинать надо со своих. У нас нет выбора. Грабители в ловушке. Они из Камышлова не выйдут. Полковник Рогозин закрыл город. Запер его с обеих сторон, стянул туда людей из Екатеринбурга. Сейчас прочесывают всю местность между Камышловом и Юрмачем.

Грабители где-то здесь. Они в кольце и с такими деньгами из ловушки не выберутся.

— А почему бы их не зарыть и не вернуться за ними позже. Через полгодика? — ухмыльнулся Рюшкин.

— У африканских племен есть поговорка: «Лапа в бутылке». В джунглях так обезьян ловят. Кладут орех в банку, привязанную к дереву, и ждут. Горлышко узкое. Лапа туда пролезет, но если ты сожмешь ее в кулак, то уже не вынешь. На том обезьяны и попадаются. Они хватают орех, но лапу вытащить не могут. Охотники их не спеша ловят. Потому что обезьяна никогда не выпустит из рук добычу. Та же история и с нашими налетчиками. Они не бросят свою добычу. И не столько из алчности, сколько из-за недоверия друг к другу. Деньги без присмотра тут же исчезнут. Ты же понимаешь, что здесь не один человек сработал. Так вот, Костя, начинай со своих и не жалей их. На кону стоит твоя жизнь. Семью тоже не пощадят. Эти люди не из числа добрых дядюшек. А теперь иди. Мне еще надо кое с кем встретиться. Времени у нас практически нет.

Константин Рюшкин встал. Вот если бы наблюдать за этим разговором через звуконепроницаемое стекло, то можно подумать, будто два элегантных, солидных, хорошо одетых джентльмена разговаривали об искусстве. Как обманчива природа и человеческий глаз.

Следующим гостем Точилина был человек иной внешности. Он больше походил на рабочего из местного магазина. На самом деле это был самый удачливый киллер, работавший во всех регионах страны. Звали его Филипок. Больше о нем ничего не знали, помимо того, что он всегда находил свои жертвы, как бы ловко те ни прятались. Перед ним ставились самые сложные задачи, и он всегда их решал. Сильный мужчина лет сорока с простоватой внешностью, но с очень обаятельной улыбкой. Точилин платил ему приличное жалованье, даже когда для Филипка не было работы. Ну а когда находилось дело его уровня, то киллер получал хорошие гонорары. Не считая выставленного им счета, который подтверждался чеками и квитанциями. Денег вперед Филипок не брал. У него своих хватало. Все расчеты производились после завершения задания.

— Задача несложная, Филипок. Клиенты загнаны в угол. Они здесь, в этом городе. Проблема в том, что я не знаю, сколько их. В течение трех суток мы должны их найти, уничтожить и вернуть в общак украденные пять миллионов евро.

Киллер присвистнул.

— Хороший куш.

— Но не наш. А теперь слушай подробности...

* * *

Сева спал как убитый поперек койки, свесив ноги на пол. Тем временем в доме проходил обыск. Как только Сева отключился, появился Борис Байчер. Деньги он нашел быстро. Чемодан лежал под домом. Стоило лишь фонарем посветить, как блеск металла дал о себе знать. Ничего сложного. Байчер понимал, что деньги должны быть под рукой в случае, если придется резко сорваться с места.

Они сидели в доме перед открытым чемоданом и смотрели на упакованные пачки.

— Упаковка банковская, но деньги банкирам не принадлежат. Они посредники. Им ни к чему держать собственные деньги в чемодане, да еще в самом отдаленном отделении от Екатеринбурга. Скорее всего, их должны забрать люди наркокартеля. Мы сели в глубокую лужу, Марик. На нас началась охота.

— Но почему на нас? — удивился парень. — Нас невозможно вычислить. Мы же не участники налета.

— В этом они увидят лишь наш хитроумный трюк. Все участники налета погибли. Это нетрудно установить. Куда же делись деньги? Их унесли те, кто этот налет спланировал, пожертвовав исполнителями. Стандартный вариант. Для дела нанимают закоренелых уголовников, а потом их убирают. Мы в ловушке. Из города нам не выбраться.

— Так давай оставим деньги здесь, а сами спокойно уедем чистыми. Пусть они найдут свои деньги.

— Я с тобой согласен. Деньги надо вернуть. Но сначала надо точно определить, кому они принадлежат. И мы не знаем, кто их найдет. Может, кто-то из посредников? Слишком лакомый кусочек.

Возьмут и тихо присвоят, а мы так и останемся под прицелом. Я бы взял чемодан и отнес его обратно в машину, где вы его взяли. Но из города с деньгами не выйдешь даже тем же путем. Лодку ты затопил. И возможно, полиция уже нашла машину. Поздновато для маневров.

— Так что же делать?

— Искать хозяина чемодана. Но для этого придется себя подставить. Они должны нас найти, а мы должны их проследить. Надо показать им свой хвост, потом исчезнуть и зайти в хвост им. Петля Нестерова в воздушном бою. Показываешь хвост противнику, потом делаешь петлю и заходишь в хвост врага.

— Слишком сложная схема для моего ума.

— Напиши записку Севе. «Ушел менять деньги. Скоро вернусь». Он будет дрыхнуть еще долго. Машину отгони на вокзал до того, а потом иди в обменник. Выйдешь из него и зайди в ближайшее кафе. Позавтракай и возвращайся сюда. Но в дом не заходи. Мы тебя будем поджидать в конце улицы.

— И в чем трюк?

— В том, что тебя проследят. Хвост должен приехать к обменнику, пока ты завтракаешь в кафе. Но ты его не заинтересуешь. Он примет тебя за обычного курьера, которого послали на разведку. Возвращайся пешком и не оглядывайся.

У Марика по телу пробежала дрожь.

— Мы с Лерой будем рядом, — видя глаза парня, сказал Борис и похлопал его по плечу.

4

Обе машины нашли на рассвете. На место тут же приехал майор Котов с заместителем и со своим другом-экспертом. Трупы из фургона вытащили, и капитан их сфотографировал. С убитых сняли отпечатки пальцев.

— Ну, если тех, брошенных у банка, мы опознали без проблем, — рассуждал эксперт Лавренев, — то этих мы не пробьем. Они наверняка чистые и в базе данных их нет. Но один из них предположительно работал инкассатором в банке «Союз», где три года назад пропали четыре нагана с патронами. Нет смысла ждать от них списков всех инкассаторов, работающих в то время. Надо взять фотографии этих и ехать в банк. Старожилы должны одного из них узнать.

— Ты как всегда прав, Игорь, — согласился майор. — Ну а кто их грохнул?

— Судя по дыркам в корпусе фургона и по пулям в спине, стреляли вдогонку из автомата Калашникова. И стреляли из машины, принадлежащей некоему герою войны Арсению Калиновскому. Боюсь, Калиновский лишь подвозил бандитов к банку в качестве попутчиков, а в последний момент его убили и воспользовались его машиной. Работали по системе «матрешки». Есть наводчик. О нем мы пока промолчим. Двое грабителей для отвода глаз нанимают обычных уголовников, которыми жертвуют. А сами сматываются на фургоне. Но есть еще те, кто нанял этих двоих. Они в деле не участвовали, поджидали налетчиков на улице. Когда фургон уехал, они завладели машиной Калиновского и устроили погоню. Стрелять начали, когда фургон свернул с трассы. Эти двое убитых наверняка видели БМВ за своей спиной, но они знали или думали, что те их прикрывают, и даже не собирались в них стрелять. В итоге поплатились жизнью. Ребята из БМВ забрали деньги и ушли. Здесь негде спрятать еще одну машину. Дальше следов нет. Нужны собаки. Они пошли пешком. Куда? Пока не знаю. Хуже всего, что мы ничего о них не знаем. И понятия не имеем, на кого работал наводчик.

— Красивая схема, — сказал капитан. — И все это ради трех миллионов рублей?

— Три миллиона проходят по официальным документам, — заявил Лавренев. — Но сколько денег лежало в загашнике, мы не знаем. Банк неприметный, тихий и очень удобный для прокрутки нелегальных средств. Но управляющий Рюшкин нам об этом ничего не расскажет. Да и девушки промолчат, даже если они что-то знают.

Капитан подумал о Марине. Уж ему она может доверять. Как-никак, он ее жених. О свадьбе уже подумывали.

— А как собаки возьмут след? — спросил майор.

— Возьмут. Эти ребята оставили в багажнике БМВ рюкзаки с провизией, да еще автомат свой бросили. Где-то поблизости должно быть у них гнездо. Или они решили обходным путем выйти к

Камышлову. А это значит, что они загнали себя в ловушку. Не исключено, что, поняв это, они попытаются уйти назад тем же путем. А посему здесь нужно постоянно держать своих людей в засаде.

— Вот что значит двадцатилетний столичный опыт, — тихо сказал майор капитану.

Дождались кинологов. Но приехал только один. Это не помешало собаке вывести группу к реке.

— Тут их ждала лодка, — указывая на следы на песке, сказал Лавренев. — Что на том берегу?

— Пролесок и дорога, ведущая в Камышлов, — ответил капитан.

— Я так и думал. Они загнали себя в тупик. Теперь мы их найдем. Очевидно, там ждала их машина. Здесь она попросту бесполезна.

— На той стороне нет лодки, — пожал плечами майор.

— Ее затопили, Ваня. Мы не с лохами имеем дело. Вызывай моторку из береговой охраны. Такой след терять нельзя. К тому же у нас есть отличный пес.

Майор достал сотовый телефон.

* * *

Тот самый бар, где Марик вчера покупал клофелин, парень нашел без труда. Обменников в городе было полно. Все удобства для проезжающих. Он зашел в обменник напротив и достал пятисотку.

— Поменяете евро на рубли?

Девушка осмотрела купюру, проверила ее и вернула.

— Не хотите брать? А я всю ночь ее рисовал, старался.

Девушка рассмеялась.

— Да нет, она настоящая. Просто у меня рублей не хватит. Мы недавно открылись. Приходите позже. Мне скоро подвезут рубли.

— Как скажете. Я не тороплюсь.

Он забрал деньги и вышел на улицу. Даже постоял у дверей в раздумье. Девушка его видела через стеклянную дверь. Обменник располагался в предбаннике супермаркета. Девушка вышла за ним следом. Парень перешел дорогу и вошел в бар. Она быстро вернулась назад и взялась за телефонную трубку.

За картиной наблюдали Борис и Лера из своей машины. Прицеп с лодкой они оставили на платной стоянке, чтобы не мозолить народу глаза.

В баре народу к утру не осталось. Несколько девушек сидели за стойкой, но Клавы среди них не было. Парень заказал себе кружку пива, но сидеть рядом с девчонками, которые начали обсуждать его вслух, не захотел. Он осмотрелся и увидел Клаву, спящую за столиком у окна, подложив руки под голову. Что-то в этой девушке ему нравилось. Он не зря захотел ее вновь увидеть. Невольно, даже не думая, ноги сами его сюда принесли. Марик сел за ее столик.

Клава дернулась, будто ей снились кошмары, открыла глаза и выпрямилась. Оказывается, у нее очень яркие зеленые глазищи. А при дневном свете она выглядела еще моложе.

— Что, в эту ночь не повезло с клиентами?

— Странно, я еще сплю?

— Да вроде как нет.

— Ты мне приснился. Правда. Дурацкий, но сказочный сон.

— Не думал, что ты меня помнишь.

— И я не думала. Сны непредсказуемы. Сама не ожидала, что так получится. И уж тем более увидеть тебя наяву. Ты что здесь делаешь?

— Так, мимо проходил. О тебе вспомнил. Но не рассчитывал тебя увидеть.

— Не ври. Шлюх не вспоминают.

— Но я же не пользовался тобой как шлюхой. Так, поболтали и все.

Разговаривая с девушкой, Марик поглядывал на двери супермаркета. Туда входило много людей и выходило немало. Он запоминал входящих. Он ждал такого человека, который бы вошел и тут же вышел. Покупки за минуту не сделаешь, и покупатели выходили с продуктами в фирменных пакетах, которые выдавали на кассе бесплатно. Нужный ему человек появился минут через пятнадцать. Он приехал на машине. Оперативный тип, но совсем безликий. Фигура крепкая. С таким в поединок лучше не вступать, тут же голову свернет.

Выйдя из магазина, он не вернулся к машине, а перешел дорогу. На какой-то момент этот тип исчез из поля зрения Марика. Окна имели ограниченный обзор. Он мог войти в бар и увидеть Марика с Клавой. Марик не хотел подставлять девушку. Теперь любое его общение будут брать на карандаш.

— Ладно. Может, еще увидимся, — сказал он, встал и вышел на улицу.

У дверей закурил, осторожно осмотревшись. Тот самый тип стоял возле телефона-автомата с трубкой в руке. Возможно, с кем-то консультировался. В любом случае это пешка, не представляющая опасности. Теперь, как говорил Борис, надо зайти к нему в хвост, и он приведет их к истинным хозяевам денег.

Марик неторопливо пошел домой. Он не оглядывался, но чувствовал, что за ним идут. Дойдя до калитки, он зашел на участок и тут же направился в туалет. Там перемахнул через забор и очутился в овраге. Внизу протекал ручей. Марик направился вдоль заборов к концу улицы, которая шла параллельно оврагу. Там стояла машина Бориса, но Леры внутри не было. Марик тут же сел в машину, и они поехали.

— Все получилось? — спросил Марик.

— Конечно. Их действия предсказуемы.

— А где Лера?

— Она проследит за тем парнем. Но думаю, он вернется к своей машине с Севой. Возьмет его в заложники, и тот расскажет, что знает. А значит, они начнут суетиться. Зная, что деньги где-то в городе, сюда слетится все воронье. Наше дело — определить хозяина денег. Другим доверять нельзя. Мы возвращаемся к супермаркету и будем поджидать твоего преследователя. Номера его машины принадлежат Екатеринбургу. Девяноста шестой регион. Этого типа легко пробить, но только он нам не нужен. Обычная сошка, и не более того.

* * *

След вывел полицейских на ту самую поляну. Следы от джипа остались отчетливыми. Опытный эксперт Лавренев определил марку машины по следам колес, а собака копала землю у дерева.

— Там что-то есть, — сказал кинолог.

Яму прикрыли дерном, копать долго и много не пришлось. Тем более что делали это руками.

Два мешка с деньгами нашли без труда. Все оказалось на месте.

— Не рискнули с добычей въезжать в город? — спросил капитан. — Здесь и следует устроить засаду.

— Потеря времени, — отмахнулся майор Котов. — Они удачно обошли въезд в Камышлов, но не могли знать, что выезд тоже перекрыт и вокзал блокирован. Такие люди не любят ждать и уж тем более возвращаться. Только вперед. Но дело не в этом. Я с самого начала понимал, что эти ребята знают больше нас с тобой. Вспомни о сейфе в кабинете Рюшкина. Полагаю, там лежало денег гораздо больше. Эту мелочь они взяли для отвода глаз. Считай, что они бросили мешки и не вернутся за ними.

— Может, наркотики? — предположил капитан.

— Не знаю. Героин — вещь дорогая, и нужны крупные оптовики. В Камышлове таких нет. А везти товар до Екатеринбурга очень опасно. Для этого существует «железка». Последнюю партию нашли в вагоне с углем. Да и то по наводке. Речь идет о валюте или о камешках. Чтобы развязать язык Рюшкину, надо точно знать, какой товар исчез. А для начала мы вернем ему мешки с выручкой. Нашли. Где, у кого и когда, не имеет значения. А может, мы нашли не только мешки, а что-то еще? Он получит то, на что написал заявление. Вот тогда парень напугается. Сам все расскажет. У него не будет выхода. Он же посредник, и не более того. И его первого возьмут за грудки. Он не может быть наводчиком. Кто-то из его девчонок навел бандитов на кассу. Одна убита, две живы. Но они будут молчать. Так что придется самим разбираться. След мы уже взяли.

— В городе он затеряется, — сказал Лавренев.

— Тут живет меньше пяти тысяч человек, не считая приезжих. А главное то, что они попытаются выйти из города любой ценой. Надо ждать, а не искать.

* * *

Он все еще крепко спал. В том, что в доме мальчишка не один, Филипок не сомневался. Вопрос в другом. Куда этот гаденыш делся? Во дворе в беседке хозяин играл в домино с такими же стариками.

Лишний шум никому не нужен. Его здесь не видели и не должны видеть. Филипок очень не любил свидетелей. Он умел оставаться незамеченным.

Севу он растолкал. Тот вскочил как ошпаренный и схватился за револьвер, лежащий за поясом. Мужик спал на животе, гость не видел у него оружия и попросту не принимал его всерьез.

— Тихо, тихо. Я поговорить пришел. Ты же сейчас шума наделаешь, а в саду пол-улицы в домино режется. Хочешь в каталажку загреметь? Уйти-то некуда. А тут такое тихое местечко. Живи и радуйся.

— Ты кто?

Филипок подошел к Севе и без особых усилий забрал наган.

— Я тот самый человек, которого ты меньше всего хотел видеть. Или ты думал, что, цапнув чужие деньги, тебе это сойдет с рук?

Только сейчас Сева понял, что лишился оружия. С таким парнем ему не совладать. Нужно выкручиваться иначе.

— О каких деньгах ты говоришь? У меня гроша ломаного нет за душой.

— Какой же вы глупый народ. Пачка сторублевок валяется на тумбочке. Ты бы банковскую ленточку оторвал. И еще, зачем парня в обменник послал? Тут ни у кого таких денег нет. Тебе даже в Париже не в каждом магазине пятисотку разменяют. Что скажешь?

— Ничего не знаю о валюте. А мешок рублей взяли. Они друга моего убили. Так, за здорово живешь. Вышли из банка, двух полицейских уложили и моего дружка за компанию. Я за машиной спрятался. Ну а потом нагнал гадов.

— И задушил голыми руками.

— Автомат у меня был. Под сиденьем прятал.

— Ну и сколько вас таких, кровожадных умников?

— Я да паренек. Так, молокосос. Сын убитого дружка. Он и ходил деньги менять. Ты с ним что-то сделал?

— Удрал твой паренек. Привел меня к тебе и удрал. Думаю, и чемоданчик с собой прихватил. Не тебе же оставлять, если ты такой лох.

Сева вздрогнул, чем себя тут же выдал.

— Ладно, давай так. Бабки пополам, и разбегаемся.

Филипок усмехнулся:

— Достойное предложение. А на кого валить будем? Я же должен оправдаться перед теми, кто меня послал за деньгами.

— Мальчишку Мариком зовут. Фамилию не помню. Он из Москвы. Себе он деньги не оставит. Будет искать Бориса Байчера и Егора. Их машина следовала за нами, но связи с ними нет. Я все телефоны и рацию в реку выбросил. На память не помню. Но у них прицеп с лодкой. Мини-яхточкой. Фамилии Егора тоже не знаю. Это все.

Про Леру Сева промолчал. Да и про остальных не очень-то беспокоился. Он был уверен, что все сели на поезда и разъехались в разные стороны.

Им досмотры не страшны. А яхту бросили. Ищи теперь ветра в поле.

— Ну что сидишь-то? Тащи деньги, делить будем.

— Смотрю я на тебя, приятель, и не верю тебе.

— Думаешь, это имеет какое-то значение, дружок?

Филипок достал из кобуры под пиджаком пистолет «Стечкина» с накрученным глушителем.

— А теперь что скажешь?

— Я не двинусь с места. Чемодан под домом у крыльца. Забирай и сваливай.

Филипок выстрелил. Раздался тихий хлопок, будто кто-то ударил в ладоши. Пуля вонзилась Севе в лоб и выскочила из затылка, забрызгав обои.

Денег под домом не оказалось. Обыск в доме тоже ничего не дал. Надо искать мальчишку. Хитрый волчонок. Но куда он денется? Они же не местные, лазеек не знают.

Филипок как пришел незамеченным, так и ушел.

5

Больше всего Фаину беспокоило, что господин Точилин не захочет с ней разговаривать или, того хуже, просто ее убьет. Не сам, разумеется. В его распоряжении хватало людей, выполняющих черную работу. Она пришла в банк «Восход» в начале рабочего дня. Точилин в это время дня был не очень занят и принял приятную даму, посчитав ее богатой клиенткой. Все же браслет с изумрудами и бриллиантами, а также серьги и кольцо из того же гарнитура о многом говорили. А в камешках банкир разбирался неплохо.

— Я к вам по делу, Игнат Аркадьевич. Речь пойдет о похищенных деньгах в городе Юрмач. Не занимайтесь теми, кто их украл. Их уже нет в живых.

— Так, минуточку. Как я понимаю, вы человек информированный. По вашему предположению я имею к этому какое-то отношение. Допустим. Не хочу вас переубеждать и выслушаю, но больше из любопытства, чем из профессионального интереса.

— На любопытствующих у меня нет времени. Вот, взгляните на это.

Она положила на стол четыре листочка с фамилиями и печатью банка «Медетеран». Там же стояли подписи управляющего и казначея.

— Это список абонентов частных сейфов. Ваша фамилия значится под номером сто двадцать один и там стоит ваша подпись. Четыре месяца назад все частные ячейки были опустошены грабителями. Исчезли не только деньги, но и документы. Полагаю, для вас они представляли большую ценность. Заполучи бумаги другие люди, вы сейчас сидели бы не здесь, а на зоне строгого режима. Я имела доступ ко многим бумагам. Ваши дела меня не интересуют. Моя задача — найти грабителей. Не ту шпану, которая грабанула филиал «Восхода», а тех, кому добыча досталась. А она волей случая досталась тем, кто очистил «Медетеран». У меня есть все основания сделать такой вывод. И я хочу поймать этих людей.

— Зачем? — удивился Точилин.

— За тем, что я хожу в главных подозреваемых. Мне надо смыть это пятно. Это все, что меня интересует. Вы же можете вернуть себе документы из сейфа и свой чемодан из Юрмача. Мне нужны надежные помощники и вся горячая информация. В деталях.

Точилин помолчал. Эта женщина настроена решительно и готова идти в бой. Пусть воюет. Убрать ее недолго. А если она добьется результата? Деньги, судя по всему, ее не интересуют. Она одержима идеей.

— Я готов вам помочь, — сказал он наконец. — Сейчас деньги находятся в Камышлове. Тут совсем рядом. Город блокирован. Мой человек доложил мне следующее: один из команды убит в Юрмаче.

— Да. Некий Арсений Калиновский.

— Правильно. Второго пристрелил мой парень. Он был бесполезен. Имя неизвестно, при нем не было документов. Чемодан с деньгами унес мальчишка лет двадцати. Существуют еще двое. Некий Егор и Борис Байчер. Машина с прицепом, на котором стоит лодка. Марка машины, номера неизвестны. Машину недолго поменять. О других членах банды мне неизвестно.

— Из игры вышли двое. А их не менее семи человек. Я уверена, что документация хранится отдельно, а золото и деньги уже давно переправлены в укромное место. О сокровищах банка

«Медетеран» можно забыть, но документы интересуют всех. Меня в том числе. Ваши я верну в обмен на помощь. С моей головой можно делать большие дела, но у меня нет физической поддержки.

— Она у вас будет.

— Договорились. Сегодня же выезжаю в Камышлов. Вот мои телефоны.

Фаина положила на стол визитную карточку без фамилии, но с номерами телефонов, после чего тут же ушла.

Эта женщина понравилась Игнату Аркадьевичу. Впрочем, он не знал, что истории с ее мужьями тоже начинались с общего знакомства, а кончались их могилами.

* * *

К своей машине Филипок вернулся один. Это больше всего встревожило Бориса.

— Мы ошиблись, — сказал он сидящему рядом Марику.

— В чем ошиблись? — не понял парень.

— По нашему следу пустили охотника. Им мало вернуть свои деньги. Они должны нас уничтожить. Думаю, что Сева стал их первой жертвой. Чемодан этот хлыщ не нашел. Тебя он видел в лицо. Теперь займется твоими поисками. И хуже всего, мы не знаем, что ему рассказал Сева.

— Сева ничего не знает, — с серьезным видом ответил Марик. — Он не может знать о моей связи с вами. Телефоны и рацию, как вы правильно догадались, он выбросил в реку. У него второй рации нет. Если этот тип дожал Севу, то уверен, будто деньги нашел я и сбежал с ними.

— Тут слишком мелко, Марик. Людей, особенно чужих, найти не трудно. Это же не Москва.

— Может, все бросить и уехать? — спросил парень. — В Москву, где нас точно не найдут.

Борис покачал головой.

— Полиция может прекратить поиски. Им достаточно найти зарытые вами мешки. Цель выполнена. Не найдут, так мы им подскажем, где искать. Но в наркокартеле сидят очень серьезные люди. Они ценят свой престиж. За нами будут гоняться всю оставшуюся жизнь, пока не убедятся в нашей смерти.

Они медленно поехали за машиной охотника.

— Что вы предлагаете? — поинтересовался паренек.

— Я сам передам деньги главарю и попытаюсь найти с ними общий язык.

— Не найдете. Мы же имеем дело с посредниками. Вы сами говорили, что банк лишь передавал деньги. Свои не нужно хранить в чемоданах.

— Верно, — согласился Байчер. — И если это так, то мы тоже должны выстроить свою линию тем же образом. Выступить посредниками между посредниками.

— Это как?

— Еще не знаю. Тут надо хорошенько все обдумать.

* * *

На привокзальной площади полицейские нашли джип, след от колес которого остался в лесу. Они провожали капитана, возвращавшегося в Юрмач. Камышловские полицейские дали ему двух сопровождающих с оружием и найденные мешки с деньгами. Он должен был вернуть деньги в банк и еще раз допросить Рюшкина. А майор с помощниками остался в городе, не желая терять след.

Капитан тут же прибыл в банк и сдал найденные деньги в руки управляющего. Рюшкин выглядел не обрадованным, а растерянным. Это насторожило капитана.

— Что-то не так? — спросил капитан Горбатько.

— Все так, тут все деньги?

— Не хватает одной пачки или двух, — он усмехнулся. — Только я их не брал. Мешки запломбировали, прежде чем передать мне. Таков порядок. Я получил опись, она соответствует вашим бухгалтерским документам. Дело можно считать закрытым. Полиция вам больше не нужна. Но в колокола пока звонить рано. Дождитесь возвращения майора Котова. Он задержался в Камышлове.

— Вы поймали налетчиков? — спросил управляющий.

— Майор вам все расскажет. Я могу с вами поговорить? Но не официально и наедине где-нибудь в сторонке.

— Я вас понимаю, Матвей Васильевич, — перешел на официальный тон Рюшкин. — Приходите

8 Зак. 1467

ко мне домой вечером. Жена с детьми уехала к сестре на море. Я живу один.

— От греха подальше? — усмехнулся Горбатько.

— До вечера. Я вас жду.

Выходя из банка, он сказал Марине:

— А я соскучился.

— Подожди меня в столовой. У меня обед через полчаса.

Капитан отвез своих сопровождающих на вокзал, потом освободил шофера и вернулся в столовую.

Марина его уже ждала.

— Рад тебя видеть, дорогуша. Чертова суета не дает нам возможности встретиться. Но дело мы так и не закончили. Котов уверен, будто грабители унесли не только эту мелочь.

— А то ты не знаешь, — хмыкнула Марина. — По воскресеньям Рюшкин ездит на машине куда-то на запад, в понедельник на работу приходит первым, а вечером, когда банк закрывается, к нему приезжают головорезы и уходят от него с мешком.

— Да, ты мне говорила. А ты их видела?

— Один раз. Темно уже было. Видела, как входили и уходили. В банке только Рюшкин оставался, а я возилась с машиной у супермаркета. Не заводилась, зараза, вот и застряла на месте.

— Именно в понедельник?

— Слушай, Матюша. Тут же дураку все понятно. Рюшкин наводчик. Именно в понедельник совершен налет. И почему вы ему верите? Грабитель вошел к нему один. Машку и охранника убили, а его не тронули. В углу его кабинета стоит другой сейф. На самом виду. Так его даже не открывали. А может, он сам открыл свой сейф за портретом? И почему он заперся в банке, вместо того чтобы выскочить на улицу и звать на помощь? Время тянул. Грабители перерезали все провода связи. Откуда они могли знать, где проходит провод сигнализации? Этого даже я не знаю.

— Да ты головастая девчонка. Черт! Значит, женщин из числа подозреваемых мы исключаем.

— Прежде чем затевать такое дело, надо понимать, ради чего пупок надрываешь. Никто из нас не знает, что уносят эти курьеры. А если камешки или героин? Куда с таким хозяйством сунешься? И вот еще одна ваша ошибка. Я ее немного исправила. Вы же не допросили девчонок из супермаркета.

— Из их окон не виден банк.

— Все верно. Они ничего и не видели. Но перед этим в кассе произошла заминка. Лента кончилась. Ее перезаправляли. А потом из магазина вышли сразу два человека. В ту минуту, когда на улице началась стрельба. Один мужчина лет пятидесяти. Очень солидный и интеллигентный. Не из местных. И женщина лет шестидесяти. Она наша. Ефросинья Колчина. Мы зовем ее тетей Фросей. К ней полгорода ходит за козьим молоком и свежими яйцами. Ее-то я и решила навестить. Теперь слушай внимательно. У банка стояло три машины. В них она ничего не смыслит. Первым стоял фургон, похожий на маршрутное такси. Следом обычная машина, а у третьей был прицеп с большой лодкой. Этот автомобиль и принадлежал солидному господину из супермаркета. Она лодку запомнила. Белая с красным, размером с катер. У стоящей за фургоном машины курили двое мужчин и разговаривали. Вышедшие из банка бандиты убили одного из них. Второй просто упал, потому что, как только фургон уехал, он тут же поднялся. Оставшийся в живых обежал машину, открыл дверцу, выкинул из нее женщину, сел на ее место, и они дали по газам. Вот тут твоя машина поспела, и вы столкнулись. Но вы врезались в столб, а они удрали. Мужчина, вышедший из супермаркета, помог подняться женщине, выброшенной из второй машины, и посадил ее в свою машину. Полагаю, обычная любезность. Он никак на преступника не тянет. Они неторопливо уехали, пока ты с напарником находился без сознания. Зачем лезть в свидетели? Их бы задержали здесь на несколько дней. Волокита долгая, а пользы никакой. После драки кулаками не машут.

— Но в обоих случаях я говорю о второй и третьей машинах, за рулем сидели люди, которых никто не видел.

— Шофера фургона тоже никто не запомнил. Но первый выстрел по полицейским сделал он. И еще он подобрал мешки с земли и добил своего напарника, пока второй добивал полицейских. Все произошло за секунды.

— Тебе, Мариша, пора в полицию переходить. Из тебя получится отличный сыщик.

— Вот стану твоей женой, тогда и будем вместе работать. Возьмешь меня в напарники? Я тебя приучу пристегиваться, чтобы ты при встрече со столбами морду себе не царапал. Порезов на лице как веснушек.

— Заживут через пару дней.

— Скажи, Матюша, а как вы деньги нашли?

— Их бросили ради настоящего куша. Мелочь взяли для отвода глаз. Это даже майор Котов понял. Он взял след. Бандиты добрались до Камышлова обходными путями. За фургоном помчался БМВ. Мы нашли обе машины. Налетчики на банк нас больше не интересуют. Живых не осталось. И я думаю, что они делали только черную работу. Основными были ребята из БМВ. Но здесь есть одна странность. Даже не одна. Первое. Зачем они убили одного из БМВ, если он был с ними заодно? Решили весь куш забрать себе? Хорошо. Тогда почему не отстреливались от преследователей? На БМВ нет следов от пуль. И третье. Зачем им нужна женщина?

— Ответ очень простой. Зачем мудрить, Матвей? Убитый герой войны тут ни при чем. А женщина, вероятно, его жена. А если в фургоне сидели еще двое? Этого никто не видел, но такое возможно. Они вышли из фургона и подошли к машине Арсения Калиновского. Решили ее захватить. А почему нет? Арсений, ничего не подозревая, вышел из машины, а один из бандитов сел на его место. Началась перепалка. Тут напарники выходят из банка и убивают Арсения. Тогда понятно, почему бандит выкинул женщину из машины. И тогда понятно, почему из фургона не отстреливались. Их преследовали свои же.

— Безупречная логика. Тогда ответь мне на такой вопрос: зачем им понадобилась машина убитого?

— Но ты сам сказал: они расстреляли фургон и убили напарников. Им надо было на чем-то ехать дальше, но уже с деньгами.

— И это верно. Но дальше шла очень плохая дорога, и легковушка там застряла бы. А на трассу возвращаться они не рискнули.

— Я над этим уже думала. Даже схемы рисовала. Убили тех, кого могли опознать. Исполнителей. Но только не тех, кто получил в конечном итоге бабки. Вот они-то и будут делиться с Рюшкиным. Если только его не грохнут. Судя по всему, ребята крутые. А Рюшкин трус, к тому же под подозрением. Не дай Бог, заговорит. Сейчас он лишний.

— Кого еще можно подозревать?

Этот вопрос был слишком скользким. Марина могла назвать имя директора главного банка «Восход» Точилина. Но у того везде имелись свои люди. Матвей тоже мог к ним относиться. Он любил сорить деньгами, но не с капитанской зарплаты. Нельзя же выглядеть всезнайкой. Пусть сам концы ищет. Скорее всего, Матвей знает больше, чем говорит. Его не трудно проверить. Она уже сделала несколько намеков. Надо лишь подождать немного.

— Не знаю, Матюша. Дальше Юрмача мои мозги не работают. Я соображаю, пока вижу и понимаю. Но если что-то происходит на стороне, мне это непонятно.

— Тогда все, голубушка. Я побежал. У меня сегодня еще море дел.

— Ну, давай, миленький. Я тебя жду. Освобождайся скорее.

Капитан ушел, довольный разговором. Ему досталась бойкая сообразительная девчонка. Но она и впрямь дальше своего носа ничего не видит.

* * *

Майор со своей командой вовремя попал в Камышлов. След он взял очень точный, но постоянно шел с опозданием.

Полицию вызвал хозяин. Он принес постояльцам свежего молока, а там труп.

Врач предположительно назвал время смерти:

— Не прошло и двух часов. Он еще теплый.

Друг майора Лавренев добавил:

— Стреляли из «Макарова» или «Стечкина». Второе вероятней, пуля вышла на вылет. Похоже на убойную силу «Стечкина». Ну а то, что этот тип из той же команды, мы уже знаем. Номер нагана совпадает. Лежит на столе. Значит, в него стрелял свой. Никакой перестрелки. Выстрел точный, стрелял профессионал и оружие соответствующее.

Деньги, как ты понимаешь, Ваня, унесли. Я бы не стал терять время на поиски.

— Не клеится, Игорь, — скривил рот Котов. — Этот тип приехал на джипе «Ниссан» с сыном. По словам хозяина, мальчишке не больше двадцати. Утром джип исчез. Очевидно, этот паренек и отогнал его к вокзалу. Хозяин его больше не видел. Профессионал пришел позже. Либо он забрал деньги, либо оказался у разбитого корыта. Внешность мальчишки мы знаем. Но меня интересует незапланированный игрок.

— Похоже, этот тип стрелял по фургону из автомата. На «Калашникове» его отпечатки. Парнишка сидел за рулем БМВ. Они вдвоем приехали на «Ниссане». Но откуда взялся третий? Да еще стрелок?

— Это говорит о том, — продолжил Котов, — что деньги возле банка перехватили чужаки. Вмешался господин Случай. Теперь заказчики хотят вернуть деньги. Надо понимать их возможности и связи. Местным банкирам и бизнесменам такие вещи доступны. Им принадлежит все. У людей давно уже нет никакой работы. Наша трасса с ее городишками кишит наркодиллерами, проститутками, торговцами всеми видами оружия и прочей нечистью. Зарплата полицейского смехотворная, они живут за счет подачек от этой дряни. Тут уж мы бессильны. Но если ты хапнешь хоть копейку из кошелька мафии, тебе конец. Они нас опережают. Мы обречены плестись в хвосте. Но убийц ловить обязаны.

— Избитые истины из местных газет, — ухмыльнулся Лавренев. — Половину редакций уже сожгли. Тебя не сожгут. Полицейских тут не трогают. Мы нужны им для охраны их интересов. Меня интересует твое резюме, Ваня. Дальше не пойдем? Все? Ниточка оборвалась?

— Нет, — твердо заявил Котов. — Мальчишка где-то рядом. Даже если у него нет денег, мы можем спасти его шкуру.

* * *

Таких людей найти не трудно. Байчер сам на них вышел после того, как Лера узнала о смерти Севы.

За коренастым парнем она не пошла. Он вернется к своей машине, а там его встретит Боря. Поначалу ей очень хотелось войти в дом. Сева не вышел на улицу вместе со странным типом, который ушел один и очень торопился. Она была единственным человеком, в которого ее полоумный муж не выстрелит. Приезд полиции и «скорой помощи» охладил ее пыл пройти на участок. Подробности узнала от местных стариков. Вернувшись на точку, она все рассказала Борису. Он проследил киллера. Тот остановился в притоне, которым заправляли китайцы. Но вряд ли это можно считать достижением. Ясно другое. Киллер связывается со своими по телефону. Его хозяева в Камышлове не сидят, но они их вычислили благодаря дурости Севы. Теперь и полиция подключилась. Они в ловушке. Так считают все. Пусть так думают. Байчер не любил оружие и никогда им не пользовался. Но, кажется, теперь наступило время обороняться.

Китайцы командовали притонами, а оружием заведовали азербайджанцы. Те и другие друг друга не любили, а потому обращаться к азербайджанцам можно без опаски.

Его долго водили по подворотням, передавая из рук в руки, и, наконец, привели в какой-то подвал.

В полутемном помещении, увешанном занавесками, сидели трое. Окон здесь не было, но шторы висели повсюду.

— Тебе что-то особенное нужно, дорогой? — спросила огромная волосатая туша.

Складывалось впечатление, что на мужике надет свитер, но оказалось, что до пояса он был голый.

— Мне нужен охотничий карабин. Многозарядный, пристрелянный, с оптическим прицелом, двенадцатого калибра.

— На слона будешь охотиться? — засмеялся человек-гора.

Борода его начиналась от глаз, проходила по всему лицу, переходила на шею и срасталась с грудью. Настоящая горилла.

— Мне надо, чтобы я снес из него башку со ста метров. Под корень.

— Значит, патроны нужны с картечью?

— Одной коробки хватит.

— Ахмед, покажи товар, — приказал он, не поворачивая головы.

Один из троих сидящих за столом, где они играли в нарды, встал и исчез за занавесками. Через пять минут он вернулся с небольшим чемоданчиком.

— Складной. Так внимания к себе не будешь привлекать. А ствол в брюки засунь. Он с подтяжками, не потеряешь. Можешь опробовать. Я туфтой не торгую.

Ахмед раздвинул шторы, и Байчер увидел длинный коридор. Где-то вдали горел свет. Среди мишеней там стоял арбуз. С такого расстояния он выглядел яблоком. Ловкий парень открыл деревянный чемоданчик и ловко собрал ружье в считанные секунды. В конце прикрепил ствол и надел оптический прицел.

Байчер не умел стрелять. Он даже не прикоснулся к ружью.

— Ты уж сам, дружок. Я ведь не стрелок, а носильщик.

Ахмед ничего не ответил, а вставил один патрон в ствол и почему-то снял оптический прицел. Вскинув карабин, он прижал его к плечу и тут же выстрелил. Грохот был не сильным. Арбуз не разлетелся на куски, а превратился в брызги, как вода, выплеснутая из кружки. После чего ружье было столь же быстро разобрано.

— Подойдет? — спросил волосатый.

— Вполне. Сколько?

— Три тысячи баксов.

— У меня только рубли.

— Сто тысяч.

— Отдам, когда выведешь меня из лабиринта.

— Боишься, значит. Разумно. Ахмед тебя проводит. Ружье понесет другой паренек. Отдаст, когда деньги покажешь.

— Ладно. А он чемодан откроет, чтобы я там корки от арбуза не нашел.

Волосатый хмыкнул.

— А ты деловой мужик, а по виду не скажешь. Мы работаем честно в отличие от косоглазых. Клиентов ценим.

— Если так, то я готов сделать еще один заказ.

— Будет скидка.

— Отлично. Мне нужно полкило тротила или пластида. Надежный детонатор и дистанционный взрыватель.

— Такого дерьма у нас много. Даже есть готовый к выдаче. Тот тип погорел раньше, чем забрал его. Но условия будут иными. В тридцати километрах к северу по дороге к развалинам есть свалка машин. Там их горы, после того как металлообрабатывающий завод закрылся. Весь товар лежит в багажнике одной из машин. — Ахмед положил на стол ключи от багажника. — Я назову тебе эту машину, когда ты передашь мне деньги.

— Значит, созвонимся. Ахмед зайдет в кафе «Придорожное», а я проеду на свалку. Ты мне называешь машину, я приказываю отдать деньги твоему парню.

— Цена та же.

— Договорились.

— Может, подскажешь, где можно приличную чистую машину купить? — спросил Байчер.

— Это не у меня. Найди Кардана. В бильярдной на улице Московской болтается. У него большой выбор и все чистые. В нем можешь быть уверен. Он мужик надежный. Работает только на себя.

На том и простились.

* * *

В своем отделении капитан узнал новости, которые для него стали сюрпризом. Ничего неожиданного, но дело, на удивление, очень быстро продвигалось вперед. Лейтенант из бригады по розыску доложил:

— Фотографии, которые вы переслали в банк, где пропало оружие, были опознаны начальником группы инкассации.

— О чем ты, Толик? — поднял брови Горбатько.

— Вы же разослали номера наганов по банкам. И точно, в банке «Союз» три года назад пропало четыре ствола. Предполагалось, что их просто потеряли при переезде в новое помещение. Банк выстроил для себя отдельное здание. Раньше они располагались в жилом доме, где занимали первый этаж и подвал под хранилище. Теперь сумели обзавестись своим зданием. Шумиху поднимать не стали. А списали оружие по-тихому. Так вот. Когда вы нашли трупы на пути в Камышлов, сфотографировали их и разослали снимки по банкам и отделениям полиции, мы получили подтверждение из того же банка «Союз».

Лейтенант выложил фотографию, полученную по электронной почте и распечатанную на принтере.

— Это некий Алексей Ильич Пермяк. В то время, три года назад, он работал инкассатором в банке «Союз». И что еще удивительно. Его бригада обслуживала несколько отделений банка «Восход» и в нашем городе тоже. А значит, он знал кассирш, секретаршу и управляющего. Он проработал в банке год, потом уволился.

— Этот парень сидел за рулем фургона. Он в банк не входил. Хотя мог. Налетчики же были в масках.

— Нет, Матвей. Его могли узнать по голосу или по татуировке на кисти правой руки. Якорь с цепью. Он служил на флоте.

— Вот что я думаю, Толик. Пермяка тоже собирались подставить. Только у их главного был пистолет «Стечкина». У троих наганы, и у шофера в том числе. Револьвер потом у него забрал преследователь. Их расстреляли из автомата. Удравшие на фургоне убили двух своих же уголовничков. Одного налетчика мы нашли в банке с дыркой в затылке. Наган валялся рядом. Второго — на улице возле дверей банка, и опять же оружие лежало рядом. Если револьверы украл Пермяк в банке, то его легко вычислить. Значит, его тоже надо убрать. Он же своего рода указка. Становится ясно, откуда ноги растут. И если рассматривать ситуацию примитивно, то что мы видим? Пермяк имеет оружие. Он знает служащих банка. Это он договорился с кем-то из них и устроил налет. Можно быть уверенным в том, что главарь с пистолетом «Стечкина» не собирался ни с кем делиться. И вряд ли наводчик знал о нем. Надо пробить его отпечатки. Я привез целую коллекцию пальчиков. Все они уже трупы. Но мой принцип таков, Толик, надо идти от истоков. Упустишь хоть одну деталь в начале, концы не сойдутся. Работаем не руками, а кисточкой, как археологи. Так меня Котов учил. А он мужик головастый. К тому же на старости лет стал честным. Думаю, грехи молодости замаливает.

— Я послал запрос в управление Екатеринбургского МВД. Мы ничего не знаем о Константине Рюшкине. Он же не местный, а назначенец. Живет у нас пять лет, уважаемый семейный человек, но без прошлого. Окончил финансовый институт в Москве, а торчит здесь. Странно как-то.

— Скажи-ка, Толик, — будто не слыша его, спросил капитан. — Ты же участвовал в погоне за БМВ, почему вы не доехали до постов Камышлова? Тут всего-то тридцать километров.

— Нам дорогу лодка перегородила.

Матвей насторожился.

— Какая еще лодка? Что за бред? Это же шоссе, а не река.

— Лодка на прицепе была. Прицеп перевернулся и встал поперек дороги, не объедешь. Пришлось народ собирать, чтобы прицеп на колеса поставить. Время было упущено. А этого парня фургон и БМВ подрезали при обгоне, и он дернулся от испуга. Так что он видел обе машины.

— Кто он-то?

— Водитель «Вольво», — лейтенант полез в свой планшет и достал из него блокнот. Полистав страницы, он сказал: — Зовут его Борис Дмитриевич Байчер. Ехал с женой и родственником. Родственника я не записал, а его жену зовут Валерия Байчер. Я ее удостоверение видел. Оба из Москвы. Солидные приличные люди. Интеллигенты. Ну, мы им помогли.

— Мужик молодой?

— Нет. Лет пятидесяти, с сединой. На Алексея Баталова похож. Высокий, красивый. Такие бабам нравятся. И жена симпатичная. Лет под сорок.

— Ну помогли и ладно. Работай.

Оставшись в кабинете один, Горбатько попытался связать все узелки. Интеллигент из супермаркета и женщина, выброшенная из машины. Это не случайное знакомство. Она его жена, вот почему он посадил ее в свою машину. Значит, до Юрмача они ехали в разных машинах. За рулем БМВ сидел убитый Арсений Калиновский. И обе машины были связаны. Есть еще одна немаловажная деталь. Ни фургон, ни БМВ машину с прицепом не обгоняли. Те уехали первыми. Переворот прицепа был умышленным, чтобы преградить дорогу погоне. А значит, люди, сидящие в БМВ и «Вольво», одна команда. Калиновский получил в глаз шальную пулю. Бандиты убирали всех свидетелей. А если Калиновский боевой офицер, то и друзья у него не лыком шиты. Они просто начали преследовать убийц. А в итоге нарвались на деньги. И что это значит? Мелкая шпана погибла от рук профессионалов. Вот их-то и надо искать. Трое с лодкой могли без проблем въехать в Камышлов, двое обошли трассу стороной вместе с деньгами. Значит, их не меньше пяти человек, причем опытных и умелых. Вряд ли Котов их найдет. Такие люди в игры не играют.

Капитан задумался.

* * *

На въезде в город автомобиль Фаины остановили и попросили припарковаться у обочины. Тут уже стояло немало машин. Удивительно, что транспорт проверяли на въезде, да еще со стороны Екатеринбурга. Похоже, полиция серьезно взялась за дело. Только Фая относилась к этой бдительности несерьезно. Она понимала, с кем имеет дело. Другой вопрос: что эти люди не любят рисковать и уж на чужой территории, о которой им ничего не известно, они суетиться не станут, а изучат обстановку и потом уйдут тихо и спокойно, не оставив следов.

К ней в машину подсел человек в штатском, а не полицейский.

— Меня просили встретить вас. Имен называть не будем. Поехали.

Фаина тронулась с места, и полицейские расступились. Скорее всего, к ней подсел начальник полиции. Некоторые ему отдавали честь. Она не любила задавать лишних вопросов, сейчас надо слушать, иначе этот тип не сел бы к ней в машину.

— Самостоятельно вы вряд ли справитесь с задачей. Это только с виду мы живем в деревне. По вечерам здесь не протолкнуться. Все проезжающие у нас задерживаются не на один день. Особенно мужчины. Соблазнов много. Но домой уезжают в одних трусах. Вашу машину запомнили и тормозить не будут. Оружие тоже не отберут, если оно у вас есть. Полная свобода действий. Всем важен результат. Я дам вам мобильный телефон и по нему буду вам звонить. Кроме меня, этого номера никто не знает. — Он достал из кармана простенький аппарат и фотографию. Аппарат положил на торпеду, а снимок отдал Фаине в руки. — Вы должны запомнить этого человека.

Фаина взглянула и запомнила. Память на лица у нее была фотографическая.

Мужчина убрал фотографию в карман.

— Это очень опытный сыскарь. Но он хищник. Живых после себя не оставляет. Вам же нужны живые. Этот парень уже убил одного из членов банды. Он должен найти то, что ему приказано. Люди его не интересуют. Надо не упускать его из виду, и он приведет вас туда, куда надо. Остановился в китайском притоне. Не советую заходить в это заведение. Косоглазые очень осторожные и опасные люди. Просто надо взять его под наблюдение. Но он очень хитер, знайте об этом. К тому же ему ничего неизвестно о вашем участии в деле. Он волк-одиночка. При постороннем вмешательстве тут же разорвет контракт и уйдет.

— Я все поняла. Охотник мне будет только мешать. Если я от него получу ниточку, то мне понадобится помощь полиции. Но головорезы мне не нужны.

— Я не имею полномочий его трогать. Им дорожат. Он выполняет все задания без ошибок. А их было немало. Но полиция на вашей стороне. Мы тоже хотим взять живых, а не мертвых.

— Все в руках Всевышнего, — обронила Фаина.

— Притормозите здесь.

Она остановилась.

— Напротив вас «Голубой лотос». Это и есть притон хищника. Будем держать связь. Меня зовут Сергей Астахович.

Он вышел из машины.

* * *

Волосатый азербайджанец не обманул Бориса. Винтовку он свою получил и в подарок лазерный прицел. С машинами тоже прошло все удачно. Он купил их две. Обе «десятки» из семейства «Жигулей», но очень крепкие и надежные. Свою «Вольво» пришлось бросить. Ее наверняка уже ищут.

Свалка автомобилей, на которую он приехал, поражала своими размерами. Горы старых и битых машин беглым взглядом не осмотришь. Что его порадовало, так это скошенное поле перед старым заводом и очень приличная, а главное, прямая дорога. Тут проходила высоковольтка с номерными столбами, сохранились старые мастерские с названиями и переулки, как в городе, между горами металлолома. Железа много, людей нет. Страшненькое местечко.

Байчер снял трубку и позвонил Лере. Она тут же ответила.

— Ты видишь этого парня?

— Да. Я пью кофе через два столика от него. Здесь полно народу, так что опасности нет.

— Подойди к нему и передай ему трубку. Потом отдашь деньги в конверте. Как там Марик?

— Велела сидеть на съемной квартире и на улицу носа не высовывать. Он теперь сам как ходящий динамит. Так, я пошла. Передаю ему трубку.

— Привет, Ахмед. Я на месте. Где мне искать товар?

— А деньги?

— Деньги отдаст женщина, которая всучила тебе трубку.

— Возле сарая под номером четырнадцать. Голубой «Форд» с разбитым носом. Ключи от багажника у тебя.

— Все понял. Возможно, еще увидимся.

Машину он нашел без труда, и все, что заказал, лежало на месте. Борис захлопнул багажник и закрыл его на ключ.

Он вновь достал телефон и позвонил Егору:

— Привет, коллега. Как наши дела?

— Документацию из ячейки я нашел. И ты был прав. Там есть бумажка с шестизначными номерами. Но номеров четыре, а не два.

— Это понятно. Чемоданов должно быть два. Они же получают пустой взамен на полный. Номера продиктуешь позже. Основное?

— Игорь Аркадьевич Точилин. Директор центрального банка «Восход». Филиалы есть повсюду. В том числе и в Камышлове. Мужик прижимистый. Тут есть тетрадка с затратами. Судя по всему, у него две любовницы. Одна его личная секретарша, лет сорока. Зовут ее Катя Бессонова, даже фотокарточка есть. Ей он дарит не очень дорогие подарки. Тут есть список ценностей с ценами и описанием. Вторая совсем молоденькая. Лет двадцать пять. Жанна Молодкина. На нее он тратит вдвое больше.

— К чему ты о бабах заговорил?

— Я думаю, подход к Точилину надо искать через них. Секретарши много знают, тем более если спят со своим начальником. Но он в Екатеринбурге. И офис его там. Его позиция очень крепкая, Борис Дмитрич. Я думаю, только он мог разработать такую комбинацию, где сотни виноватых, кроме него.

— Надо проверить. Мы не можем допускать ошибок.

— Я тебе нужен?

— Мне нужен самолет, а не ты. Купи самый простенький в одном из клубов и пригони его сюда. К северу от города, в тридцати километрах, есть автосвалка. Кругом скошенные поля. Я же тебя учил летать. На поле с твоим опытом можешь сесть. А главное, что там пусто.

— Нет проблем. Тут еще есть адресок одного связного и его фотография. Часовая мастерская Лазаря Минскина. В скобках написано «документы». Скрепкой прикреплена вторая фотка. На ней написано Жора. Морда по циркулю, лысый, как бильярдный шар, и нос картошкой. Глаз не оторвешь. Жора Корчма. Колония двенадцать дробь двадцать четыре. Внизу добавлено: «из одного курятника». Похоже, они с Лазарем сидели вместе. Часовая Лазаря возле тебя. Улица Демьяна Бедного, двенадцать.

— Полезный дяденька.

— Остальные документы тебе надо смотреть. Я их привезу. Жди завтра. Самолетом займусь сегодня.

— Хорошо, Егор. Новости меня утешают.

Борис убрал телефон и отправился к своей машине.

6

Как это ни странно, но Марику тоже приснилась девушка из бара. Он открыл глаза, но не увидел ее. А очень хотелось. В окно все еще светило солнце, а часы показывали пять часов вечера. Он уже устал от безделья.

В конце концов на улице полно народа. Достаточно надвинуть бейсболку на глаза, и будешь как все.

Пока Марик собирался, на улице уже вспыхнули рекламные огни, несмотря на дневной свет. Город-зазывала. Тут кругом тебя облепляли пиявки, высасывающие твои деньги.

Марик не торопился, петляя по переулкам. Никто за ним не следил. И вообще, он не выглядел человеком, у которого есть деньги. Старые джинсы, кроссовки, однотонная футболка серого цвета и бейсболка. Единственная запоминающаяся деталь его гардероба.

Он пришел в тот же бар, где встретил Клаву. Народ еще не собрался, но местные девочки были начеку. Предчувствие Марика не обмануло. Клава никуда не делась. Она увидела его и узнала. В юбочке, едва прикрывавшей трусики, она, покачивая бедрами, подошла к нему.

— Странно. Но я знала, что ты придешь. Решил попрощаться?

— Я пока не уезжаю. Застрял по делам.

— Деловой, значит. Клофелин нужен?

— На этот раз ты.

Она расплылась в улыбке.

— С тебя, как с первого клиента, я денег не возьму.

— Первого за сегодняшний день?

— Нет, вообще. С малолетками никто не хочет связываться. Тут же возьмут в оборот, и отдашь все деньги. Но это я так выгляжу. На самом деле мне уже есть восемнадцать. Но народ осторожничает. Правильно делает. А потом, тут полно девушек лучше меня. Настоящие профессионалки.

— Ладно. Раз я первый, то начнем с ужина. Все самое лучшее и пару бутылок шампанского.

— Обалдеть! Мне за такого клиента еще премию дадут. У меня есть комната на втором этаже. Я же тут еще и посуду мою, и со столов убираю.

— Вообще-то я догадывался. Девушки меняются, а ты здесь постоянно. Вероятно, после клофелина они на какое-то время пропадают, чтобы их не нашел тот, кого обчистили, а потом возвращаются.

— Догадливый. У них десять точек. Так и ходят по кругу. Видишь ту блондинку, — она кивнула в сторону стойки. — Самая высокая. На нее большой спрос. Но здесь она появится только через десять дней.

— Ну и черт с ней. Давай сядем за столик, и позови официанта. Я проголодался.

* * *

Постель откровений. Говорят, по этому принципу работали все шпионки. Мужчина становится слишком болтлив. Особенно если его секреты жгут ему душу. Матвей все, что знал и о чем думал, рассказал Марине в постели. Ее выводы были очень неожиданными.

— Я уверена в том, что убитый шофер-инкассатор был подставным парнем. Здесь я с тобой согласна.

И это еще больше убеждает меня в причастности к ограблению нашего шефа Кости Рюшкина.

— Какая связь? — закуривая, спросил капитан.

— Понимаешь, в чем дело... У Юльки-кассирши, которая увела меня в столовую раньше времени, незадолго до событий появился парень. Она же уродина. А тут у нее вдруг крылья выросли. Девка без ума от счастья. Я думаю, речь идет об Алексее Пермяке. Если его так легко вычислили по краденым наганам и по инкассированию нашего банка, то ему надо подсунуть в довесок и мнимую наводчицу. Кого? Конечно же, Юльку, которая его знала раньше. Ни я и ни Машка в то время не работали в банке. Тут все продумано до мелочей. В этом нетрудно убедиться. Дай мне фотографию убитого Пермяка, и я покажу ее Юльке. Она тут же себя выдаст.

— Без вопросов. Но может, так оно и было?

— Нет, Матюша. Юлька не знала, где проходят провода сигнализации и телефонные кабели. Теперь я не сомневаюсь, что все подстроил сам Рюшкин. Вся история налета известна нам со слов управляющего. А если сам Рюшкин перерезал провода? Ну зачем, объясни мне, он забаррикадировался в банке, если в нем не осталось денег? Мы уже говорили о сейфе в углу кабинета Рюшкина. Его даже не открывали. И правильно сделали, там лежат только документы. Но есть еще одна вещь. Новенький смартфон. Костя купил его старшему сыну на день рождения. Но сейчас жена с детьми уехали на море. Телефон все еще лежит у него в кабинете. Почему он не позвонил в полицию, даже если были обрезаны провода и изъяты мобильники? И почему они его не убили, как Машку и охранника?

— Ладно. Я сегодня с ним разберусь. Он ждет меня у себя дома.

Марина встала с кровати и начала одеваться. Он смотрел на ее изящную фигурку и наслаждался. Эта девушка принадлежала ему. Повезло. Вот только им не место в этой дыре.

— Ты знаешь больше всех, Матвей, — заговорила она вновь. — План Рюшкина не сработал. Это дело надо закрывать. А тебе следует переключиться на тех ребят, у которых оказалась добыча. Ты можешь найти их раньше майора Котова. Тебе известны имена. Рюшкин уже не игрок. На него надо повесить всех дохлых собак и забыть о нем. Если даже смартфона нет в его сейфе, то я его туда положу. Юлька исчезнет. Деньги в банк вы вернули. Точка. Котов гуляет в потемках. Ему это скоро надоест, и он подавится своими амбициями. Ты же талантливый мужик, Матвей. Возвращайся в Камышлов. По-тихому, без докладов и в штатском. И если ты сумеешь перехватить деньги раньше остальных, то наше будущее обеспечено. Причем тебя никто никогда ни в чем не заподозрит. Кого угодно, но не тебя. Ты же не хочешь, чтобы я до конца своих дней оставалась женой начальника местной полиции. Если ты им станешь после отставки Котова. Он ждет пенсии как манны небесной. Из нас двоих ты мужик. Тебе и строить будущее нашей семьи. Подумай над этим.

«Марина права на все сто», — подумал Матвей. Такой шанс выпадает один раз в жизни. Он должен действовать.

* * *

Телефонный звонок застал Фаину в машине. Она наблюдала за киллером, нанятым Точилиным. Он прохаживался вдоль окон бара и осторожно заглядывал в них. Фаина хотела проверить, кого он выслеживает. Она зашла в бар на несколько минут и выпила рюмку коньяку. Тут было не очень много народа. Местные мужики вряд ли его интересовали, шлюхи тоже. А вот молодой мальчишка с девушкой за столиком у окна привлекли ее внимание. Мальчишка не местный, это видно по его манерам, жестам и даже по прическе. Девчонка ему явно приглянулась. Обычная шлюшка в ажурных трусиках, виднеющихся из-под лоскутка ткани, называемого юбкой. Фаина вернулась в свою машину, стоящую по другую сторону улицы. На ней были темные очки и черный парик. Она даже фигуру свою скрывала под длинной широкой ситцевой юбкой и жакетом, похожим на балахон. Такие носят полные женщины, скрывающие свой живот и обвисшую грудь.

Когда зазвонил телефон, она взяла трубку, не сводя взгляда с парня, за которым наблюдала.

— Это я, — услышала она голос сестры. — Капитан знает, что ему делать. Вероятно, уже завтра отправится в Камышлов. Я тебе переслала его фото по ММС. Деньги перехватили партнеры убитого Арсения Калиновского. Машины они наверняка поменяли. Их две. Первым в погоню за фургоном уехал БМВ. Пассажиров было двое. Им и достался металлический чемодан.

— Считай, что их уже нет, — оборвала Фая. — Чемодан еще не найден. Киллер, нанятый Точилиным, взял след.

— Тогда осталось еще двое. БМВ прикрывала «Вольво» с лодкой на прицепе. Они вне подозрений. Шофера зовут Егор. Около сорока лет. С ним семейная пара. Борис Байчер, лет пятидесяти, видный мужчина, и его жена Валерия Байчер, лет сорока, женщина приятная и не глупая. У ментов на них ничего нет. Матвей вычислил их случайно, но он будет молчать, так как сам хочет их найти. Это всё.

— Их должно быть больше.

— О других ничего неизвестно. Может, они давно уже разбежались. Со времени ограбления «Медетерана» прошло четыре месяца.

— Такие люди не разбегаются, Мариша. Но ясно одно: добыча «Медетерана» не тронута, если они позарились на чемодан с мелочью. Содержимое ячеек хорошо спрятано. О тайнике известно только одному из них. Думаю, это Байчер. Мне он нужен живым.

— Матвей знает больше киллера, сестренка. Тебе лучше убрать киллера, пока он всех не перебил, и взять в оборот Матвея.

— Рано. Для такого вывода нужен очень веский аргумент. Иначе Точилин перестанет мне доверять. А значит, меня саму уберут или я лишусь поддержки. Здесь не спрячешься. Все всё видят.

Фаина заметила, как киллер зашел в бар. Она посмотрела на окна. Молодая парочка исчезла.

— Так, созвонимся позже. Ты должна выяснить, каким путем сюда будет добираться Матвей, где остановится. Я должна его взять под наблюдение.

— Мне он правды не скажет. Наверняка у какой-нибудь шлюхи. Теперь он становится нелегалом. Всё. До связи.

* * *

Он выдержал достаточную паузу. Теперь пора действовать. Болтая в сторонке с официантом, он пытался ему внушить, что ему можно продать порцию героина без всякого страха. Почти убедил. Они стояли у той самой двери, вход в которую был запрещен. И тут Филипок тихо достал пистолет с глушителем, прижал ствол к печени официанта.

— А теперь, дружок, ты отведешь меня в комнату той девчонки, которая пошла расплачиваться с молокососом за ужин.

Официант только рот открыл, но сказать ничего не мог. Он лишь моргал.

— Ну, пошли. Пуля в печени — это очень больно, а главное, неизлечимо.

Филипок подтолкнул официанта. Оба скрылись за дверью и попали в длинный коридор. Ни души. Слева кухня, судя по запахам, доносившимся с той стороны. Прямо лестница, ведущая на второй этаж. По ней они и пошли наверх. Коридор второго этажа был таким же длинным с множеством комнат по обеим сторонам. Они прошли в конец коридора, где на двери висел номер четырнадцать. Ключ торчал в скважине. В этом заведении никто друг к другу в гости не заходил, а потому и не запирались. Филипок втолкнул официанта, открыв дверь его же головой. Все происходило очень быстро. Голенькая парочка уже лежала в кровати. Филипок захлопнул дверь ногой и тут же выстрелили официанту в затылок. Парню разнесло голову, и он рухнул на пол.

— Добрый вечер, ребята. А я к вам. Если хотите жить, надо ответить на мои вопросы. Хотя бы на один из них. Где железный чемоданчик с деньгами? Мальчик должен знать ответ на этот вопрос. Иначе вы получите по дырке в ваших глупых головках.

В этом Марик не сомневался. Он сам привел этого гада к Севе, и теперь Севы нет. Скажет он ему правду или ничего не скажет, результат будет один. Даже если он соврет и тот поверит, уходя, он их прикончит.

— Ни хрена ты от меня не узнаешь, — ответил Марик, подтягивая простыню к подбородку, будто она была бронированной. — Тебе нельзя доверять. Ты не оставляешь людям шансов.

Филипок не двигался с места и держал пистолет, готовый к выстрелу.

— А чегой-то ты сюда приперся? — наивно спросила Клава. — Это моя комната. А ты тут еще и намусорил.

Феноменальный выпад. Даже гость растерялся. Девчонка сумасшедшая и ничего не боится. Или так и не врубилась, что произошло.

— А ты веселая девчушка, — хмыкнул убийца. — Но ничего, скоро тебе совсем весело будет.

Дальше произошло чудо. Неожиданно дверь распахнулась, и появился человек. Он, не раздумывая, треснул киллера по черепу полной бутылкой шампанского. Филипок успел выстрелить один раз и повалился на ковер рядом с убитым. Пуля зацепила Марика, но попала не в лоб, как предполагалась, а задела ухо. Он вскрикнул. Девушка оказалась слишком активной. Она схватила истекающего кровью парня за руку, сорвала его с кровати и вытолкала в открытое окно, прыгнув вслед за ним. Марик упал неудачно, подвернув ногу. Клава приземлилась без повреждений, будто тренировалась и довела искусство прыжков до совершенства. Окно выходило во дворик, узкий, но длинный, на несколько домов сразу. Опасность еще не миновала. Пуля и здесь могла их настичь. Она опять схватила его за руку и потащила за собой. Парень ковылял, но не отставал, держась рукой за ухо. Все бы ничего, но они совсем забыли о том, что на них нет одежды.

Голыми по улицам бегать не принято. Впрочем, на улицу они так и не выбежали, а запрыгнули в открытые задние дверцы фургона, где валялись пустые ящики. Тут стояло много машин. Все товары в бесчисленные магазины центральной улицы завозили со двора.

Не прошло и трех минут, как дверцы захлопнулись и машина тронулась с места. Чего они не знали, так это то, что их занесло в холодильник. Фургон развозил свежую рыбу. Они это поняли по запаху, но поздно. Пришлось греть друг друга телами под стук зубов.

* * *

В доме стояла тишина, за окнами полнолуние. Тихое местечко и огромный сад. Матвею Горбатько нравился дом управляющего Рюшкина. Судя по обстановке, банкир не был миллионером, но и бедным его не назовешь.

Горбатько закрыл единственное окно домашнего кабинета хозяина.

— Зачем? Душно.

— Слишком тихо. Наши голоса слышны в саду. Уши всегда найдутся. А у нас деликатный разговор.

— О чем? Деньги вы уже нашли и вернули их банку. Можете отряхнуться и работать дальше.

— Все совсем не так, Константин Макарыч. Мы поймали Алексея Пермяка с деньгами и оружием, которое он украл в банке.

— Я такого не знаю.

— Вы не можете не знать инкассаторов, которые вас обслуживали. Да дело и не в этом. На допросе он показал, что работали они по вашей наводке. А провода связи вы сами обрезали. И что кассиршу убили вы, а не они.

— Это же бред! — вскричал банкир и вскочил с кресла.

Капитан усадил его на место.

— Не зря я закрыл окно.

— Послушайте, капитан. Это же глупость. Я не мог сам на себя натравить убийц. Вы же не только эти деньги у них забрали.

— Допустим. Но на другие деньги у нас нет заявления. А значит, у вас ничего больше не украли.

— Чемодан. Железный чемоданчик. В нем пять миллионов евро. Теперь эти деньги требуют с меня. Я оказался козлом отпущения. Значит, так было задумано изначально. Эти деньги принадлежат наркомафии. Точилина они не заподозрят. Он на них десяток лет работает. А меня легко подставить. Я на отшибе.

Матвей понятия не имел, кто такой Точилин. Задавать наводящие вопросы было опасно. Однако он рискнул.

— Конечно, Точилину доверяют. Но отдуваться будете вы, Константин Макарыч. Таковы правила игры.

— Но это же дураку понятно. Я же не самоубийца. А если не я, то кто? Точилин знает всю схему

9 Зак. 1467

в деталях. Деньги я беру у него для курьеров. Больше никто не может навести бандитов на мой банк. Только он не думал, что вы кого-то поймаете. Налетчики его не сдадут. Он их и в зоне достанет. Из земли выроет. Его все боятся. Значит, они получили инструкции — в случае провала топить меня.

— Я сумею вас спрятать до суда. Там вы Точилина и сдадите. Тогда мафиози поймут, кто их хотел облапошить. С вас снимут все обвинения.

— От них не спрячешься. Везде найдут.

— Я привык отвечать за свои слова. Это слово банкира ничего не значит. Садитесь и пишите заявление против Точилина. Я должен иметь основания для его ареста. Иначе он ускользнет.

— Черт с ним. Уж лучше так, чем сидеть и ждать, когда они придут и пустят тебе пулю в лоб. Он дал мне три дня. А что это меняет?

Рюшкин резко встал, прошел к письменному столу, достал из ящика бумагу с логотипом банка «Восход» и начал писать. Это заняло у него полчаса. Получилось четыре страницы текста. Горбатько прочитал все. Теперь он знал, кто такой Точилин. Рюшкин сидел за столом и, затаив дыхание, ждал.

Матвей достал из кармана пистолет, приставил его к виску банкира и выстрелил. Пуля сбила Рюшкина со стула, и он упал на ковер. Капитан вложил пистолет в его руку. Находясь в доме управляющего, Горбатько старался держать руки в карманах, чтобы хозяин не заметил резиновых перчаток. Теперь можно открыть окно. Он убрал ценные документы в карман и тихо ушел.

Как говорится, сделал все, что мог. Уходя, он прихватил с собой мобильный телефон покойного, на который записал их разговор. На всякий случай. На письменные признания и откровения Горбатько не рассчитывал.

Сейчас ему казалось, что судьба на его стороне. Ему везет во всем. А значит, можно идти на риск и дальше.

Матвей улыбался.

* * *

Полицейские приехали быстро. И даже сам майор Тихвинский, начальник камышловской полиции. Убийство на улице здесь расценивалось как хулиганство. Все грехи всегда списывались на приезжих. Но убийства в общественных местах всегда расследовались. Все деловые люди платили дань полиции. Официальный рэкет. Никакой другой крыши у владельцев заведений не было, а потому они жили в мире и не наезжали один на другого.

Майор быстро оценил обстановку. Он имел большой опыт в таких делах.

— Пустая постель, подушка в крови, чужак на полу с окровавленной головой, осколки от бутылки, пузырящиеся капельки от шампанского и труп официанта с простреленной головой.

Тихвинский тут же надел наручники на лежащего без сознания типа и приказал:

— Этого в мою машину. Только башку ему забинтуйте, чтобы он сиденье мне не перепачкал. Живо!

Двое полицейских подняли чужака с пола и отволокли в сторону.

— Ну что случилось, Пингвин? — спросил он мужчину в белой рубашке с галстуком-бабочкой.

Тот указал пальцем на лежащий труп молодого парня с простреленной головой.

— Наш официант. Не опытный еще. Пацан. Я стоял за стойкой и поглядывал краем глаза в его сторону. Этот тип что-то у него просил. Мне он сразу не понравился. Такие люди никуда с добром не приходят. Смотрю, Филька повел его за дверь. У нас это строго запрещено. За десять минут до этого Виолетта повела мальчишку к себе. Он на нее кучу денег истратил. Можно сказать, у девочки премьера случилась. Ну, я взял бутылку с шампанским и пошел следом. Сегодня народу очень мало. В городе никто не задерживается. Кордоны на въезде и выезде людей пугают. Наши пташки у стойки тусуются. Наверх, кроме Воробушка, никто еще клиентов не отводил. У меня сработал инстинкт. Я поднялся на второй этаж и увидел ключ в двери Виолетты. Остальные двери заперты. Больше им некуда деваться. Ну, я и ворвался. Чужак стоял ко мне спиной. Я среагировал быстрее. Шандарахнул его по черепушке что было сил. И не зря. Филька уже дохлым валялся. Так этот засранец все же успел выстрелить, прежде чем отключиться. Думаю, что мальчишка серьезно ранен. Не знаю, выживет или нет. Воробушек с ним в окно выпрыгнула. Теперь их не найдешь. Она тут каждую щель знает. Деваха сообразительная. Не в одной передряге побыла. Шеф-повар ее из банды подростков вытащил. Ее едва не пришили. Так что она под его патронажем работала. Вот и все. Я тут же вам позвонил, Сергей Астахович.

— Наивно и бездарно, — ответил майор. — Тут работают ребята из полиции Юрмача. По приказу начальника управления я должен оказывать им содействие. Их интересует мальчишка. Но, как видим, не только их. Я вызову сюда майора Котова. У него хорошие специалисты. Ничего тут не трогать до их приезда. Все ему расскажешь. Котову врать бесполезно. Вот только про убийцу скажешь ему, что он выпрыгнул в окно вслед за молодняком. Торопился, оттого ты и выжил.

Майор поднял с пола пистолет с глушителем и убрал его за спину, за пояс брюк.

— Все понял, Сергей Астахович.

— Вот и ладушки. Ну а мне здесь делать нечего.

* * *

Байчер и Лера не нашли Марика в доме. Они поняли, где его надо искать. Видели его с девчонкой через окно бара. Скорее всего, он там. И они поехали к бару. Опоздали. Возле здания стояло три полицейские машины, вход перекрыт. Приехала «скорая помощь».

Они видели, как вывели мужика в наручниках с перевязанной головой и усадили в машину на заднее сиденье.

— Это же наш чистильщик, — сказал Борис, сидящий за рулем. — По логике вещей, он пришел к тому же выводу, что и мы. Он не искал Марика, а поджидал здесь и не ошибся. Мальчишка вернулся.

— Ты думаешь, он его убил? — настороженно спросила Лера.

— От этого типа никто живым не уходит.

— Надо было парня запереть. — У Леры навернулись слезы на глаза.

— Глупости. Нельзя было подставлять мальчишку. Один раз он от него ушел. На второй раз киллер его не упустил. Мы сами виноваты. Дали разгуляться этой сволочи.

Из бара вышел майор, сел в машину с арестованным и уехал.

— Он что, в одиночку повез такого головореза?

— Да. Для того, чтобы того отпустить. Мы его увидим позже, когда он вернется в свой китайский притон. Начальник управления полиции числится в списке друзей господина Точилина. Он в доле. Так что все сценарии здесь расписаны. Местный начальник лишь приказы выполняет. Один только майор Котов из Юрмача выбивается из общей массы. Очень неудобный майор. Скоро его уберут, а пока ему не мешают. Все равно ни до чего не докопается. Пусть хоть видимость создает.

Следом за полицейской машиной отъехала «Мазда». Она медленно тронулась, и Борис невольно обратил на нее внимание. За рулем сидела женщина. Больше в машине людей не было. Это лицо Борис не мог забыть. На эту даму ушло очень много времени при подготовке налета на банк «Медетеран». Байчер считал ее главной занозой, а потому ее попросту изолировали на день операции.

— Бог мой! Тени из прошлого. Фаина Леонидовна Гурьева. Вот это сюрприз.

— Ты ошибся, Боря. Это невозможно. Ее же посадили.

— Как бы не так, — усмехнулся Байчер. — Она в розыске. Чего бы Фаина стоила, окажись она в тюрьме. Единственный достойный соперник. Тут может быть только один вариант: она опознала труп Арсения. Это он в форме гаишника усадил ее в подвал. Тогда Фаина проиграла партию. Сейчас жаждет реванша.

— Но как она опознала труп, если Арсений погиб в Юрмаче, а она залегла на дно где-то в Тюмени или в Екатеринбурге.

— Не знаю. Мы ничего не знаем. Но само по себе ограбление банка не могло ее не заинтересовать. Такие налеты в нашей стране редкость. Здесь не Чикаго. И потом, с ее связями можно все узнать. Она же тоже имела допуск к частным сейфам. Сейчас все это не важно. Фаина здесь, и наша задача усложняется. Она взяла след и ведет киллера. Значит, кто-то предоставляет ей информацию. Работает в одиночку, но имеет поддержку.

— Пора покончить с убийцей. Пока он всех нас не перебил.

— Ты хорошо подумала? Мокруха — не наша специализация.

* * *

Все произошло именно так, как Байчер и предполагал. Машина начальника полиции остановилась на окраине города.

— Ну что, очухался, господин специалист?

Филипок впервые в своей практике оказался в безвыходной ситуации.

— Куда ты меня везешь? — хрипло спросил он.

— Уже не везу. Приехали. Домой пойдешь пешком. И больше не связывайся с местными. Тут живет народ сплоченный и очень жестокий. Могли бы убить и вывезти на свалку. А там за день твой труп обглодали бы крысы. Человеческих костей там больше, чем ворон. И когда заходишь в гости, не оставляй ключи снаружи. Их надо вынимать и запираться изнутри. Примитивная истина. А ты, я вижу, имел дело только с лохами. В наших местах таких нет. Тут двенадцатилетний пацан уже профессионал. Триста афер в день. Это только в центре. Въезжаешь в город богатым человеком, выезжаешь нищим. И при этом никто ни в кого не стреляет. Ты попал не в свой огород. Тут так не работают. Запомни это.

Майор вышел из машины, вытащил с заднего сиденья арестованного, сунул ему пистолет за пояс и вложил в руки ключи от наручников. Сам их снимать не стал. От такого психа всего ожидать можно. Тихвинский сел в свою машину и уехал, оставив Филипка одного на пустыре.

Фаина видела всю эту картину. Даже начальник полиции, который ее встречал, не смог убрать киллера. Сейчас она с легкостью могла его пристрелить. Он ей порядком поднадоел. Но и она не решилась на отчаянный поступок. Похоже, этого говнюка кто-то очень высоко ценит. Скорее всего, его смерть может сойти с рук только таинственному Байчеру. Они находятся в состоянии войны. И тут кто-то должен проиграть.

* * *

Приключения походили на настоящий блокбастер. Их привезли на рыбный завод. Шофер открыл дверцы фургона и начал перетаскивать пустые ящики на конвейерную ленту. Вот тут они и выскочили из машины и спрятались под подъездным разгрузочным помостом. Что Бог не делает, все к лучшему. Они замерзли, на ресницах вырос белый иней, но и рана на ухе заморозилась, и кровотечение остановилось. Выжидать нечего. Тут тишина и темнота не помогут. Цехи работали в три смены.

Девушка оставила Марика одного. Он очень ослаб. Слишком много потерял крови. Хуже всего, что она была голой и в таком виде ей нельзя показываться на глаза людям. К счастью, в консервном цехе работали только женщины. Где ползком, а где перебежками Клава все же пробралась в раздевалку. Она умела прятаться, открывать замки шпилькой, быстро ориентировалась и хорошо бегала.

Правда, тут никто не запирал свои шкафчики на ключи. Одна беда: девушка слишком изящная, а одежда вся пятидесятого размера как минимум. Она нашла сарафан на три размера больше и сандалии с ремешками. Они удержат их на ногах. Но во что одеть Марика? Пришлось взять комбинезон, пропахший рыбой, а главное, она нашла аптечку, где был бинт и зеленка, больше ничего полезного.

Клава вернулась назад с добычей. Марик пребывал в полусознательном состоянии. Рана оттаяла быстро, и кровотечение возобновилось. Она, как сумела, перевязала парня. Но он долго не продержится. Идти уже не сможет. Он с трудом надел комбинезон, который оказался слишком широким и коротким. Марик походил на клоуна, но без обуви. Девушка рассмеялась. Он не разозлился, а тоже улыбнулся.

— Ты иди. Я тут останусь до ночи, — тихо сказал он.

— Дурень. Ты до ночи не дотянешь. Вся повязка за минуту насквозь промокла. Главное — держись. Я ведь тебя не дотащу. Ты в два раза тяжелее меня. Ну ничего, прорвемся.

На разгрузке стояло много машин. Клава выбрала «Москвич-каблучок». Ключи торчали в зажигании. Шофер приехал за товаром и оформлял квитанции. Она подвела Марика к машине, затолкала на переднее сиденье, села за руль и сорвала машину с места, не захлопнув задние дверцы фургончика. У ворот стояла охрана и проверяла выезжающую машину. Девушка выжала педаль газа. Охранники успели отскочить, и машина вылетела из узкой щели, сорвав кузов, который преградил выезд из единственных ворот. Никто за ними не погнался.

Машина стала слишком легкой и подпрыгивала на каждой кочке. Девчонка вцепилась в руль и стремительно неслась вперед. Так они добрались до берега небольшой речки, где стояла одинокая избушка. Здесь их уже не найдут. Машину можно загнать в курятник либо затопить. В доме жила старая повитуха, делавшая местным шлюхам аборты. Другие к ней не ходили. У кого были деньги, ей платили, другие пользовались ее услугами бесплатно. Она была доброй, сама в молодости в грехе жила.

На другую помощь Клава рассчитывать не могла.

Бабка Соня вопросов не задавала. Осмотрев потерявшего сознание парня, она лишь сказала:

— Красивый, но еще ребенок.

— Я его люблю, баб Соня.

— Значит, будешь мне помогать.

У девушки на глазах появились слезы, и она нежно поцеловала Марика. Он же ее не видел, а потому она позволила себе расслабиться и стать такой, какой была на самом деле.

7

Часовую мастерскую найти было нетрудно. Борис выбросил окурок и зашел внутрь. За прилавком сидел совершенно седой старик, но с очень хитрым и молодым взглядом. Такие своего не упустят. День только начинался, на улицах никого, мастерская тоже пустовала. Тишину нарушало только тиканье сотни настенных часов. Ни одного просвета, все стены увешаны старыми, но работающими часами.

— Если я попал по адресу, то вы и есть Лазарь? — спросил Байчер, подойдя к стойке.

— Все верно, вы не ошиблись.

— Отлично. Мне нужны документы.

Старик хмыкнул.

— Вообще-то я часы ремонтирую.

— Мне вас рекомендовал Жора Корчма. Вы с ним вместе на нарах чалились.

— Жора? Это курчавый рыжий коротышка?

— Да. Мордоворот без единой волосинки, с мордой, похожей на пустую тарелку из-под тухлой рыбы. Но на ней лежит картошина в виде носа.

— Да-да, припоминаю. Ксива на одного?

— На двоих. И срочно.

— Делаю не я. Комиссионный сбор пятьсот долларов. Это только мне. Но за двоих.

— Ладно. Торговаться некогда. Евро подойдет?

Борис достал пачку денег из кармана и положил пятисотку на стойку.

— Вижу, вы человек богатый. Мало запросил.

— У меня на лбу не написано о богатстве ни слова. Причем я сам о нем недавно узнал. Но договор есть договор. Кто делает документы?

Старик вынул из-под скатерти визитную карточку и положил на стойку.

— Тут все написано. Самые надежные документы. У барышни, делающей их, подлинные бланки паспортов. Может и права сделать. Цен я не знаю, но берет она недешево.

— Ладно. Сейчас я ее застану?

— Она не вылезает из своей берлоги. Всегда на месте.

Борис взял визитку и ушел. Как только за ним закрылась дверь, старик схватился за телефонную трубку.

* * *

Китаянка, по мнению самих китайцев, была красивой девушкой. По мнению русских — обычной корягой, приподнятой над полом. Она без стука вошла в номер Филипка с телефонной трубкой в руке и разбудила его. Здесь его инстинкты самосохранения не срабатывали. Он находился под надежной защитой. Этот городишко Филипок хорошо знал и не раз помогал китайцам разбираться с их недругами. Они его ценили.

— Тебя просят к телефону. Проснись, чудик.

Не открывая глаз, он взял трубку.

— Слушай меня, — раздался голос Точилина. — Еще одна купюра засветилась. Быстренько найди моего связного. Часовщика Лазаря с улицы Демьяна Бедного, дом двенадцать. Похоже, на этот раз клюнула крупная рыба.

— Я понял. Выезжаю.

* * *

От улицы шел переулок, он упирался в забор, за забором сад. Дом слева, дом справа. Оба трехэтажные, давно выселенные. Многие окна выбиты и дверей на подъездах не хватало. Их уже пристроили куда надо. Между домами дворик, старые скамеечки, поросшие мхом, а сквозь щели прорастала высокая трава. Дворик тоже одичал и покрылся зеленью. И лишь одна из протоптанных тропинок вела к дальнему подъезду. Похоже, ему туда и надо. Отличное местечко, чтобы тебя никто не беспокоил. Второй этаж имел нормальные застекленные окна, занавески на них плотно задернуты.

Борис вошел в подъезд и поднялся на второй этаж. Номер квартиры совпадал с указанной на визитке. Он позвонил в дверь. Ему открыла молодая сексапильная особа в шортах.

— Чего тебе?

— Я от Лазаря. Нужны два паспорта.

— Заходи.

Квартира выглядела шикарно, если не знаешь, в каком доме она расположена. Интерьер портили софиты и старый пластиночный фотоаппарат на треноге, а открытая дверь в соседнюю комнату говорила о том, что там и есть настоящая лаборатория.

— Фотографии есть?

— У меня нет. А для моего сына пересними с этой. Вот его права.

— Марк Ледогоров из Москвы. Так и писать?

— Нет. — Байчер подал ей листок бумаги. — Здесь все данные, которые надо вписать.

— По триста долларов за паспорт. Садись. Я тебя сфотографирую. Готово будет завтра в шесть вечера.

— Сегодня в шесть.

— Это не подметки набивать. Тут ювелирная работа.

— Документы нужны к шести вечера.

— Будут. Но цена вырастет до тысячи.

Байчер достал пачку денег и отсчитал две пятисотки.

Она его сфотографировала.

— Свободны до шести.

— Да здравствует свобода. И помни. Я вернусь в шесть, и не вздумай валять дурака.

— Я свою работу знаю. Жалоб не поступало. Не то бы здесь не сидела.

— Отлично. До вечера.

Клиент ушел. Девушка принялась за работу.

* * *

Фаина встретила капитана у платформы. Ей надо было запомнить его лицо и узнать, где он остановится. Мужик ей показался симпатичным. Без формы он даже не походил на полицейского. На машине ехать не решился. На въезде его узнают коллеги. На поезде спокойнее. Но ему понадобится машина. Значит, она где-то есть.

Матвей взял от вокзала такси. Фаина поехала за ним. Он остановился в частном доме на отшибе от центральных улиц. За забором стоял видавший виды «Шевроле». Похоже, сестра права, у капитана и здесь была бабенка. Да еще с машиной. То, что доктор прописал.

Теперь мужику надо осмотреться. Сегодня его можно не беспокоить. Пора подумать о киллере, если только о нем не подумал Байчер. Он его порядком разозлил.

Фаина разрывалась на части. Матвей ей нужен, но она упускала из виду стрелка. Сам он Байчера не найдет. Значит, тот должен вывести его на себя. И это может произойти в любой момент.

Тут зазвонил телефон, данный ей начальником полиции. Она схватила трубку.

— Слушаю вас, Сергей Астахович.

— Я беспокоюсь. Киллер ушел из дома, а вашей машины нет поблизости. Он поехал к реке. Я буду держать вас в курсе дела. Парень торопился. Похоже, получил хорошую наводку. Такие случаи упускать нельзя. Сидите в машине, я еще позвоню.

В трубке раздались короткие гудки.

* * *

Лазарь по привычке предложил Филипку заплатить за информацию. Он жил за счет своих знаний, а не за счет ремонта часов. В ответ получил оплеуху.

Поднявшись с пола, он понял, что погорячился. С таких людей не требуют денег. По роже видно, с кем имеешь дело. Черт его дернул доложить о валюте. Теперь хлопот не оберешься.

— Это не я тебе, а ты мне должен вернуть ту бумажку, что тебе дал тот тип. И адресок, по которому ты его направил.

— Он к Еве пошел. Документы ему нужны.

Старик выложил пятисотку на стойку, за что вместо благодарности схлопотал пулю в лоб.

* * *

Самолет приземлился на поле. Борис уже хорошо изучил автомобильную свалку, он бы садился на дорогу. Она прямая, как взлетная полоса, и очень длинная. Другое дело, что по обеим сторонам выросли горы ржавого металла и, не имея опыта профессионального пилота, можно свернуть себе голову или поломать машину. За то время, пока Байчер ждал Егора, он не видел никого, кроме огромного количества ворон. Приземлившись, самолет развернулся и подъехал к свалке, чтобы не бросаться в глаза, а смешаться с общей грудой железа. Борис даже не стал выходить из машины. Он ждал. Вскоре появился Егор с портфелем в руках. Он осмотрелся, увидел машину, подошел и сел рядом.

Байчер тут же тронулся с места.

— Привет, Егор. На тебя можно положиться. Ты все сделал так, как надо.

— А ты сомневался?

— В тебе? Нет. Ты самый надежный партнер. На деле доказано. Я отвезу тебя на вокзал. Дуй в Екатеринбург и начинай обрабатывать секретаршу Точилина, госпожу Бессонову. А я должен тут закончить все дела.

— В опасные игры играешь, Борис Дмитрич. Один против всех. У Точилина есть партнер — начальник управления полиции Свердловской области Федор Николаевич Рогозин. А тому подчиняется вся полиция. И местная тоже.

— Это я понял. Блуждающего киллера отпустил местный начальник. Головорез подстреливает людей без разбора. Он убил Севу и Марика.

— И Марика?

— Сам вчера видел, как его труп, накрытый простыней, выносили из бара, где он встречался с девчонкой.

— И что же ты собираешься делать?

— Мне Лера помогает. Она надежней многих мужиков. Но киллер не один ведет на меня охоту. В городе появилась Фаина Гурьева. Вот та имеет другие планы. Вряд ли ее интересует чемодан с деньгами. Ей нужен наш архив из частных ячеек банка «Медетеран». Там собран компромат, как ты знаешь, на всех сильных мира сего. За счет досье на всю верхушку Фаина с помощью шантажа сможет восстановить свое влияние и силу в регионе. Тогда ей никто не страшен. Так что она убивать меня не станет. Все ниточки оборвутся. Мое преимущество заключается в том, что нас никто не знает в лицо. Пару дней я еще смогу поводить их за нос. Но пора бы заканчивать эту историю. Вся надежда на тебя.

— Задача мне понятна. Из досье Точилина можно сделать единственный вывод. Полковник Рогозин заправляет наркобизнесом в регионе. В Екатеринбурге скоро перевыборы мэра. Один из кандидатов слишком много болтал. Он объявил, что сделает город без наркотиков. Оказывается, это серьезная проблема в этих местах. Второе. В одном из интервью он заявил, будто очистит ряды полиции от сорняков. Глупое заявление. Кандидат этот погиб при очень странных обстоятельствах. Слияние полицейского руководства с банком очень опасно. Лучшее, что можно сделать, — разорвать эту цепочку.

— Рогозин не простит Точилину предательства.

— Конечно, нет. Но Точилин стратег. Он создал целую пирамиду из сотни кубиков, и все стрелки указывают на кого угодно, но только не на него. Я говорю об ограблении банка в Юрмаче.

— Жадность фраера сгубила, — деловито заметил Байчер. — Он так уверовал в свой талант, что решил на своем партнере руки нагреть. И Рогозин ему поверил. Он даже помогает приятелю в поисках.

— Можно сказать, Точилин добился своего. Вот только денег еще не нашел. В остальном пасьянс сошелся.

Егор достал из кармана газету и подал Борису.

— Почитай на досуге. Управляющий филиалом банка «Восход» в Юрмаче застрелился.

Борис мельком глянул на снимок в газете.

— Странно, киллер никуда не отлучался. Все руководители полиции Юрмача в Камышлове. Сам он на такой шаг не решился бы. Кто же?

— Не знаю, Боря, но где-то маячит еще одна фигура. Тебе надо внимательно осмотреться.

— Учту. Так вот. Я полагаю, что у Точилина найдется хороший повод приехать в Камышлов. На день или два. Этого времени тебе должно хватить на обработку секретарши. Твой ход, Егор.

* * *

Сначала он хотел позвонить в дверь, но потом передумал и открыл ее отмычкой. Так выглядел его сюрприз. Ева сидела в своей лаборатории с лупой и пинцетом в руках. Она слышала, как щелкнул замок, и вздрогнула. Девушка жила одна, но оружия в доме не держала. У нее и без того хватало материалов на пару уголовных статей, чтобы еще оружие иметь при себе. Но бейсбольная бита всегда находилась под рукой.

Она приготовилась к отпору, отложив лупу в сторону, но увидела улыбающуюся физиономию Филипка.

— Не бей, сдаюсь заранее.

— Фу, черт, ты меня напугал.

— Нет, я думаю, что обрадовал.

— Уж конечно. Появляешься раз в год, как рождественский подарок, а я должна радоваться и прыгать от счастья.

Он подошел к ней и поцеловал.

— Ты отлично выглядишь, даже лохматой, — сказал он, осматриваясь.

— Перенесем наше свидание на вечер, Филипок. У меня срочная работа. Клиент придет через полчаса. Мне надо успеть закончить.

Филипок подошел к столу и рассмотрел фотографию Байчера.

— Это и есть твой клиент?

— Он самый. Второй паспорт для его сына. Врет наверняка. Не похожи.

Он взглянул на второй паспорт. В него была вклеена фотография того мальчишки, в которого он вчера стрелял. Мент ему ничего не сказал, отпустив его. Это что же получается? Он промахнулся? Стрелял он в падении, теряя сознание от удара по голове. С обидчиком он разберется позже, но даже раненый он не мог промахнуться. Значит, их заводила до сих пор не знает, что произошло в баре. Для покойников паспортов не делают.

— Он же без мальчишки приходил? — спросил киллер.

— Один. Фотку я сделала с прав парнишки.

— Я так и думал. Этот тип очень опасен, Ева. Твой адресок он из Лазаря выбил, а потом убил его. Может и тебя прихлопнуть. Похоже, он не нуждается в лишних свидетелях.

Девушка напряглась.

— Я-то ему зачем? Он мне тысячу евро заплатил за срочность. Значит, торопится. И я же не дура, чтобы своих клиентов закладывать. Что я должна сказать ментам? Этому мужику сделала фальшивый паспорт.

— Не будь дурой, Ева. Менты знают тебя как облупленную. Ты для них не новость. Просто они тебе не мешают, пока ты им не мешаешь.

— Может, ты меня подстрахуешь, Филипок?

— Чего не сделаешь ради красивой женщины.

* * *

В машине Фаины опять раздался телефонный звонок. Она тут же ответила.

— Киллер убил часовщика, — услышала она голос начальника полиции, — и направился в район Голубого озера. Мы туда не суемся. Разрабатываем операцию в том районе, а потому не хотим спугнуть зверя. Но я понял, куда он поехал. Лесная улица, дом шесть во дворе. В доме справа на втором этаже работает мастерица по левым паспортам. Зовут ее Евой. Профессионал. Если киллер взял чей-то след, значит, его клиентам нужны документы. Это резонно. Других вариантов у нас нет.

— Спасибо. Вероятно, вы правы. Все сходится.

Фаина завела двигатель и посмотрела карту города. Нужная ей улица находилась недалеко от места ее нахождения.

* * *

Центральный офис банка «Восход» располагался в центре Екатеринбурга. Секретарша банкира Точилина Екатерина Бессонова получила факс. Четыре страницы текста. Она уже давно не получала факсов. Доисторическая техника. Теперь вся переписка ведется по электронной почте. Из любопытства она прочитала текст и обалдела. Это было чистосердечное признание управляющего филиалом в Юрмаче Рюшкина. А точнее, прямое обвинение ее шефа в ограблении банка с убедительными аргументами и доказательствами.

Внизу была приписана фраза, сделанная другим почерком: «Жди, я тебе позвоню. У меня еще и аудиозапись есть!» Она тут же отнесла бумаги начальнику, делая вид, что их не читала.

— Факс пришел, Игнат. Вероятно, автор не умеет пользоваться компьютером.

Довольный банкир, закинув ноги на стол, улыбался и с кем-то разговаривал по мобильному телефону. Прикрыв трубку, он спросил:

— Что-то срочное?

— Не знаю. Написано от руки, а я плохо разбираюсь в почерках.

Точилин перед кем-то извинился и обещал перезвонить. Он взял бумаги в руки и очень долго читал. Катя замерла и наблюдала за ним. Сначала с его лица сползла улыбка, потом нахмурились брови, а дальше он стал бледнеть. Его физиономия исказилась. Он бросил бумаги и уставился на секретаршу, но, скорее всего, ее не видел. Его взгляд остекленел.

Тут на его столе раздался звонок городского телефона. Он взглянул на аппарат, как на подползающую кобру.

Катя тихо вышла и взяла параллельную трубку.

— Слушай меня внимательно, Игнат. Я знаю, у кого находятся деньги. Этого человека зовут Борис Байчер. Фрукт серьезный, но я его найду. Он заперт в ловушке, расставленной в Камышлове. Но я не хочу раздевать тебя до трусов. Деньги мы поделим пополам. Так будет справедливо. За эту цену ты получишь признание Рюшкина в подлиннике. Если ты со мной решишь разделаться, то все материалы попадут в СМИ Екатеринбурга. Тогда тебе конец. Твой номер мобильника у меня есть. Я тебе позвоню позже, когда ты переваришь наш разговор.

В трубке раздались короткие гудки.

Из кабинета раздался истерический крик руководителя:

— Катя!

Она вбежала в кабинет. Точилин тяжело дышал, стараясь взять себя в руки.

— Что случилось, Игнат?

Он молчал. Взял факс со стола и начал поджигать бумаги. Они вспыхнули, и он бросил их на пол и ждал, пока они догорят. Его не беспокоил сгоревший лак на паркете.

— Вот что, детка. Закажи мне номер в отеле «Сезон» в Камышлове. Люкс. Сегодня вечером я туда выезжаю.

— На поезде?

— Нет, на машине.

— Приказать тебя встретить?

— Нет, наоборот. Менты не должны знать о моем появлении.

— Они же все равно узнают. Все машины на въезде проверяют. Город на осадном положении.

— Тогда достань билеты на поезд. Делай что-нибудь!

Катя никогда еще не видела своего начальника в таком состоянии. Всегда важный, самоуверенный и гордый, сейчас он походил на половую тряпку.

В душе она этому радовалась. В последнее время Катя начала понимать, что ее дни сочтены. Скоро Игнат ее бросит. Только бы в живых оставил.

* * *

Время подошло, а клиента все не было. Филипок подошел к окну и отодвинул занавеску. Человек с фотографии сидел во дворе на лавочке и читал газету. Он никуда не торопился, а отдыхал, положив ногу на ногу.

— Глянь-ка, Ева, это он?

Девушка выглянула.

— Да, он. Я боюсь, Филипок.

— Зачем пачкать квартиру? Двор даже удобней. Сейчас я с ним разберусь.

Он быстро вышел из квартиры.

Борис краем глаза видел коренастого мужчину, вышедшего из подъезда Евы. Он уже не в том возрасте, чтобы бегать по дворам. К тому же киллер метко стреляет. Пришло время для выяснения отношений. Чего уж тут время тянуть.

— Привет, дорогой, — улыбнулся стрелок. — Ну ты ловкач. До тебя не так просто дотянуться.

Байчер снял очки и, не выпуская газету из рук, спросил:

— Ну а теперь дотянулся?

— Полагаю, что да. Куда ты денешься? — Он вынул пистолет с глушителем, держа оружие у бедра, и направил его в грудь жертве. — Мне нужен чемоданчик с деньгами.

— Ну, если он тебе нужен, значит, стрелять ты не станешь. Иначе как ты его получишь?

— У меня есть способы развязывать людям языки. Хочешь убедиться?

— Может быть, я тебе и отдал бы деньги, но не уверен, что ты отнесешь их хозяину. Ты же человек ненадежный. Ну зачем тебе понадобилось убивать моих людей? Да еще совсем юного мальчишку.

Голова у Филипка работала. Если этот тип знает о смерти парня, то зачем принес сюда его права? Байчер словно прочитал его мысли.

— Все правильно, дружок, это я тебя сюда заманил, а не ты такой умный. Убери пистолет. Он мне на нервы действует. И обрати внимание на красную мушку, ползающую по твоей груди.

Филипок глянул на свою рубашку. Красной мушкой был лазерный прицел, который при дневном свете не проследишь.

— Чего ты хочешь? — хрипло спросил Филипок.

— Кому принадлежат деньги?

— Банку. Их надо отдать Игнату Точилину.

— Ответ неверный. Точилин их себе присвоит. Это он организовал налет на свой филиал. Имя хозяина.

— Федор Рогозин.

— Теперь ответ верный.

Байчер сделал непонятный жест. Загородил лицо газетой. Тут же раздался хлопок. Газета покрылась брызгами крови. Он отбросил ее в сторону и увидел падающее тело Филипка, но уже без головы, которая разлетелась, как переспелый арбуз.

Фаина вздрогнула. Она наблюдала за картиной с третьего этажа дома напротив. Ей удалось приехать по нужному адресу на несколько минут раньше. Когда она входила в пустой дом, двор был пуст, а когда поднялась и выглянула в окно, незнакомец уже сидел на лавочке. Но не это самое главное. Тот, кто стрелял в киллера, находился в том же подъезде, что и она. И сейчас ее застукают. Стрелок находится выше. Она слышала хлопок. Фаина юркнула в одну из квартир без дверей, свернула в какой-то закуток и легла на пол. Под ногами скрипела раздавленная ею штукатурка. Очевидно, стрелок залег здесь давно и видел, как она заходит в подъезд. Тогда ей крышка. Сдохнет как крыса в катакомбах. Она лежала, затаив дыхание, и ждала развязки. Глупый конец.

На лестничной клетке послышались шаги. Кто-то спускался вниз. Фаина зажмурила глаза. Шаги удалялись, но она все еще боялась пошевелиться.

Из подъезда вышла Лера с деревянным чемоданчиком в руках и чехлом от теннисной ракетки, где прятался ствол винтовки. Байчер уже подогнал машину. Она села в нее, и они уехали.

Наконец-то Фаина осмелилась выглянуть. Труп без головы так и валялся во дворе, а у окна дома напротив с ужасом на лице замерла фигура Евы.

С этой шлюхой разобраться не трудно. Она смело направилась в дом напротив. Ева ее видела и открыла ей дверь.

— Вы же вместе? Я это поняла. Документы уже готовы.

С чего она так решила — непонятно.

— Кто тебе сказал, что мы вместе?

— Ваша подруга вышла из того же подъезда. Они уехали.

— На чем?

— На серой «десятке».

Теперь Фаина вспомнила, где могла их видеть. Серая «десятка» стояла перед ее машиной, когда она наблюдала за баром, в котором убили мальчишку. В машине сидели мужчина и женщина. Она им не придала никакого значения. Но они могли ее видеть. Если так, значит, ее узнали. Вероятно, ей дали время погулять. С киллером покончили, следующая она. Но это лишь ее больное воображение. Могли прибить прямо сейчас, чтобы не терять времени. Бесполезно гадать. Этот тип уникальный стратег. Он непредсказуем.

— Давай мне документы, мокрая курица. Не жди, пока я расстегну сумочку.

Ева с ужасом посмотрела на сумочку гостьи.

Байчер тем временем отъехал далеко. Наконец Лера сказала:

— Фаина непременно зайдет к Еве. Ей нужны твои фотографии.

— Надеюсь, она получит и описание нашей машины.

* * *

Новый телефонный звонок окончательно выбил из седла Игната Точилина.

— Добрый вечер. Звонит ваша подруга из Камышлова. Должна вас огорчить. Охотник добрался до главного. Но не на того нарвался. Ему попросту оторвали голову. Так что я осталась одна. Но теперь знаю, кого искать.

— Его зовут Борис Байчер. Но что это меняет? И вот еще что, не доверяйте начальнику полиции. Если он получит ненужные мне сведения, тут же превратится в нашего врага. Я сам выезжаю в Камышлов. Отель «Сезон», номер тридцать. Нам надо поговорить.

— Всегда готова.

И этот разговор Катя слышала. Она догадалась, кто ему звонил. Игнат направил в Камышлов бабу, которая к нему на днях заходила. Их разговор ей был известен, так как в приемной был динамик, лежащий в ее столе, а в вазе с цветами, которые она постоянно меняла в кабинете шефа, имелся встроенный микрофон. Но эту технику Катя приобрела не из-за любопытства, а из-за ревности.

У Игната кто-то появился. Она это чувствовала как женщина. Их встречи становились все реже и реже, а пыл любовника остывал все больше и больше.

Точилин вышел из кабинета:

— Все. Я больше ждать не могу. Поехал.

— Но твой поезд только через три часа.

— Сяду на другой. Тут ехать-то два часа. Позвони администратору отеля. Пусть найдет для меня приличную машину на пару дней и на ней встретит меня на вокзале.

— Без проблем.

8

Крупный город хорош для тех, кто хочет раствориться в общем потоке и оставаться серой незаметной мышкой. Недостатком можно считать непробиваемость простых смертных к высокому начальству. Егор подумывал о том, как можно встретиться с начальником областной полиции полковником Рогозиным. Малореальный вариант. К тому же у их команды не было страховки. Что они имели кроме украденных денег? Знали больше, чем положено смертному. Деньги заберут, а их пустят в расход, и никто искать не будет. Такой шаг равен самоубийству. Свидетелей тут никто не любит. Они живут в собственной скорлупе, и лучше в нее не стучаться.

Егор взял в аренду машину и купил два огромных букета роз, после чего позвонил в офис центрального банка «Восход». Трубку сняла женщина.

— Добрый день, барышня. Скажите, я могу поговорить с господином Точилиным?

— Сожалею, но он уехал в командировку. Будет дня через два или три.

— А с кем я говорю?

— С секретарем управляющего.

— Очень приятно. Вас Катя зовут?

— Только для близких. Екатерина Федотовна.

— Спасибо, мы еще созвонимся.

Не дожидаясь вопросов, Егор положил трубку.

Он взял один из букетов, подошел к дверям офиса и попросил охранника передать букет секретарше шефа банка.

Теперь оставалось только ждать. Катя оказалась трудолюбивой девушкой и работала долго. В офисе трудились только женщины и в конце рабочего дня их выходило из здания много. Он дождался ту, которая выйдет с розами. Цветы были лучшими на рынке, и такие в кабинетах не оставляют.

Высокая, статная, блондинка с волосами до плеч и очень хорошо одетая подошла к припаркованному «Вольво» черного цвета. Эта женщина знала себе цену. Одна походка чего стоила. Дамочка не шла, а плыла.

Егор поехал за ней. Катя не торопилась и вела машину уверенно. Так они доехали до ее дома. Это была престижная кирпичная высотка с огромным холлом, швейцаром и консьержем на дверях. Женщина вошла в дом, охранник поклонился.

«У Кати все есть. Чем удивлять будете?» — спросил себя Егор. Он выждал несколько минут, взял второй букет и направился в дом с широкой улыбкой. Егор был обаятельным мужчиной и не мог вызвать подозрений у стражей на входе.

— Извините. Вот, принес цветы для Екатерины Бессоновой. Адрес мне дали, а номер квартиры я забыл.

Швейцар немного подумал и ответил:

— Четырнадцатый этаж, квартира сто сорок седьмая.

— Благодарствую, коллега, — ответил Егор и прошмыгнул к лифту.

Первый этап прошел удачно.

Лифт его доставил куда нужно. Он позвонил в квартиру.

Катя собиралась принять ванну после работы и уже открыла воду. Раздался звонок в дверь.

— Кто там? — спросила она.

— Опять цветы, госпожа.

Катя посмотрела в глазок, но, кроме огромного букета, ничего не увидела. Пришлось открыть. Егор вошел, захлопнув за собой дверь.

— Я ваш поклонник, мадам, а не грабитель. У меня даже оружия нет.

Высокий, интересный, улыбающийся. Поклонники так нагло не идут в атаку. Это не подход.

— Хорошо, поклонник. Что вам нужно? Говорите правду, иначе я вызову охрану.

— Вряд ли. Сначала мы поговорим. Тема для вас интересная, а потому вы мне кое-что расскажете. Мы можем быть очень полезны друг другу. И, возможно, проникнемся более глубокими чувствами.

— Хорошо, садитесь в кресло. Начнем с коньяка. Я устала и хочу расслабиться.

— Отличная идея. Меня зовут Борис Байчер. Вероятно, вы уже слышали это имя. Но ваш шеф наверняка слышал.

— Да, он произносил его вслух по телефону сегодня утром.

10 Зак. 1467

Они сели у стеклянного столика в белые кожаные кресла, возле которых стояла двухъярусная тележка с напитками. Квартира и обстановка были шикарными. Все в белых тонах, и ворсистый ковер в том числе. Слева кухня, перегороженная стойкой, справа спальня, отделенная лишь диваном, где стояла невероятной формы круглая кровать гигантских размеров.

— И что интересного ты можешь мне предложить? — спросила Катя, разливая коньяк в пузатые бокалы и переходя на «ты».

— Это все твое? Точилин не отберет в случае твоей отставки?

— Отберет. Но отставка мне не грозит. Я слишком информированный человек, чтобы мною можно было манипулировать.

— Мертвые не говорят. — Егор достал из кармана два конверта. — Здесь все твои данные и затраты на тебя. Я полагаю, почерк шефа ты знаешь. Здесь даже ваши общие фотографии есть. Я надеюсь, ты не хранишь изумрудный гарнитур в доме?

— Он в моем банке. У меня есть сейф.

— Не в твоем банке, а в банке Точилина Игната Аркадьевича. А в своем банке он имеет доступ к любым сейфам.

Катя, просмотрев все бумажки и снимки, нахмурила брови.

— Зачем ему это нужно?

— Аккуратист и финансист. У него все под контролем. Он даже вписал в список подарков копеечное серебряное колечко.

— Сумасшедший.

— Возможно. Но благодаря его странностям мы знаем о твоей сопернице. Вот ее досье. — Егор подал женщине второй конверт. — Ее зовут Жанна Молодкина. Не исключено, что она теперь тоже работает в банке и ее готовят вам на смену. Красивая девушка двадцати пяти лет, с высшим образованием и очень красивой фигурой. Игнат любит фотографировать ее обнаженной. На нее он тратит в пять раз больше, чем на тебя. Тот же список затрат, но цены... Я думаю, Игнат очень нуждается в деньгах, которые могут свалиться с неба. Так, шальные миллиончики.

— Где ты взял эти бумаги? — настороженно спросила Катя.

— Точилин предпочитает держать личные вещи и деньги в чужом банке. А я имел доступ к ячейкам.

— Ты прав. Я знаю эту стервочку. Пока она работает в бухгалтерии. Но каков конспиратор. Я знала, что у него кто-то есть. Но на нее даже не думала. Он старше ее вдвое.

— Возраст не помеха, если есть деньги.

— Хорошо. Но зачем ты все это мне показал?

— Я хочу отдать ему деньги, которые он украл из своего филиала. Деньги мне не нужны. Они по глупости попали в мои руки. Теперь на меня объявлена охота. Двоих моих друзей уже убили. Скоро и до меня доберутся.

— И ты рассчитываешь выжить. Он же вас обманет. Игнат очень хитер.

— Ты меня свяжешь с ним. Начнем с разговора по телефону.

— Это не проблема. Он уехал в Камышлов. Остановился в отеле «Сезон», в тридцатом люксе. Там он должен встретиться с женщиной. Она уехала туда раньше и что-то копает. Но думаю, работает на себя, а не на Игната. Теперь я поняла, какую аферу он провернул в филиале Юрмача. Он запросил списки всех сотрудников тамошней полиции, потому что сегодня пришел факс с заявлением управляющего филиалом в Юрмаче Рюшина, который в открытую обвиняет Игната в ограблении. Написал и застрелился.

— В этом есть логика. Только полицейский мог нажать на Рюшина и заставить его написать признание, а потом убил его. И сделал это грамотно, как полицейский. Никаких улик. Стопроцентное самоубийство. Теперь он шантажирует Точилина.

— Пытается. Не уверена, что у него все получится. С Игнатом трудно играть в запрещенные игры. Но он его напугал. Это ускорило его отъезд в Камышлов. Причем он никого не оповестил о своем прибытии. Обычно его встречает полиция. А сейчас администратор отеля. Он мне перезванивал. Спрашивал, подойдет ли Игнату бежевый «Фольксваген». Я сказала, что подойдет и что хозяин уже в пути.

— Значит, сейчас он должен быть на месте?

— Конечно.

— Тогда пора звонить.

Катя решительно взялась за телефонную трубку.

* * *

В номер постучали. Точилин открыл дверь. На пороге стояла Фаина. Она улыбнулась и вошла.

— У вас не очень бодрый вид. Расстроились из-за гибели вашего киллера?

— Плевать мне на него. Он играл на две стороны. Мне нужен был отвлекающий маневр. Он сделал все, что умел. Люди с излишним самомнением всегда проигрывают.

— Да. У таких игроков, как Байчер, трудно выиграть. Он обвел вокруг пальца всю полицию крупного города и ФСБ в придачу.

Они прошли в номер, сели в кресла, хозяин разлил вино в бокалы и начал тихо рассуждать:

— А знаете, что я вам скажу? Я доверяю этому человеку. Ему не нужны деньги. Ему на всю жизнь хватит того, что он взял в «Медетеране». Но неприятности ему совсем не нужны. Он понял, с кем связался. Его счастье, что о нем не знают мои партнеры, иначе его давно уже разорвали бы на куски.

— Это потому, что вы хотите оставить деньги себе, а партнерам не надо знать, что вы докопались до чемоданчика.

Точилин наморщил лоб. Фаина тут же его успокоила.

— Нет, нет. Я так, к слову. Меня это не касается. Вы можете забирать деньги. Мне же нужен Байчер живым и здоровым. Вам тоже. Архив из ячеек хранится у него. И ваш архив в том числе.

— Послушайте, милая леди. Я ведь не простачок. Разумеется, навел о вас справки. Вы в федеральном розыске, уважаемая Фаина Леонидовна. Вам удалось сбежать от спецслужб. Снимаю шляпу. Судьба свела нас на общем интересе. Отлично. Давайте сделаем дело и разбежимся. Я даже готов помочь вам устроиться в престижный банк Новосибирска или Красноярска. А Ева сделает вам лучшие документы. Но то, о чем вы догадываетесь или предполагаете, надо забыть.

Фаина поняла, что она Точилину будет не нужна, как только он выйдет на чемодан с деньгами. Похоже, его архив в ячейке не представляет особой ценности.

Она выложила паспорт Байчера на стол.

— Вот здесь есть его фотография. Надо сказать, я его уже видела в городе и предположительно знаю, где искать. Вопрос двух дней максимум.

— А он не снесет вам голову, как Филипку? — ухмыльнулся Точилин.

— Тот сам напросился. Полагаю, Байчер готов передо мной извиниться. Ну а по поводу архива нам придется с ним поторговаться. У меня есть аргументы. И если он не хочет повторить ситуацию, в которой находится сейчас, то согласится со мной.

— В этом вы правы. Он знает цену своей головы. Она чертовски дорого стоит. Думаю, генерал

Таранда из ФСБ отдал бы за нее свои погоны. Итак. Каков план действий?

Фаина не успела открыть рот, как раздался телефонный звонок. Хозяин извинился и снял трубку.

— Игнат, это Катя. Тут ко мне пожаловал интересный мужчина с пистолетом. Он хочет с тобой поговорить. Его зовут Борис Байчер.

У Точилина выступил пот на лбу. Связь была четкой и громкой, даже Фаина слышала голос женщины, сменившийся на мужской.

— Рад слышать вас, Игнат Аркадьевич. Если вы хотите вернуть свои деньги, то должны строго выполнять мои инструкции. Первое и главное. Приедете за ними один. Никаких хитростей. Увижу постороннего, встреча не состоится. Тогда пеняйте на себя. Как видите, кордоны на меня не распространяются. Сейчас я в Екатеринбурге, а утром буду в Камышлове. Так вот. Поедете на север. В тридцати километрах есть заброшенный завод по металлообработке. Там же свалка машин. Не сворачивайте с дороги. Остановитесь возле сарая номер двенадцать. Я прилечу на самолете. Сделаю пару кругов. Замечу что-то подозрительное, не сяду. Из гостиницы выйдете ровно в десять утра. Вопросы есть?

— Есть. Я согласен с вашими условиями и никого с собой не потащу. Мне тоже свидетели не нужны. Но есть один тип. Очевидно, полицейский. Он меня выслеживает. И если этот придурок сядет мне на хвост, то я не виноват.

— Хорошо. О нем позаботятся. Но вы не должны отклоняться от графика.

— Я все сделаю, как вы сказали.

— И никакого оружия, Точилин. Оно вам только навредит. В радиусе пятисот метров должно быть чисто.

Раздались короткие гудки.

— Значит, я встану на пятьсот первом метре, — добавила Фаина.

Сейчас Игнат не знал, что делать с этой женщиной. По идее она ему больше не нужна. Но он не мог подключить полицию. Он никого не мог подключить. Она может все ему испортить. У этой бабы есть пистолет в сумочке, а у него нет.

* * *

Егор положил трубку.

— Ну, ты добился своего? — спросила Катя.

— Мне нужен второй железный чемоданчик. Я хотел бы взять его с собой.

— Он в офисе. Но мы можем поехать и забрать его. Ты хочешь сегодня уехать?

— Да. К утру я должен быть в Камышлове.

— А я думала, мы вместе примем ванну. Она уже наполнилась.

— У меня нет возражений.

Он начал расстегивать ворот рубашки.

* * *

Лера научилась очень быстро собирать ружье. Когда стук в дверь повторился, она уже стояла за шторой с передернутым затвором. Борис открыл дверь. Его взору предстала очень юная девушка с хорошенькой мордашкой и в совершенно кошмарном сарафане.

— Что вы хотите, прелестное создание?

— Марик у меня. Ему пол-уха отстрелили. Сейчас бабка за ним приглядывает. Слаб еще, много крови потерял. Вот прислал меня к вам.

— Значит, живой.

— Живой, живой. Велел мне вам помочь, пока сам не может.

— Ну, заходи.

Клава зашла. Лера тут же вынырнула из-за занавески, но своим неожиданным появлением ничуть не напугала девушку.

— Значит, Марику удалось увернуться, — обрадовалась она.

— Нет, это наш бармен вовремя поспел с бутылкой в руках.

Девушку усадили, и она им рассказала свою историю.

— Я могу вам чем-то помочь?

— Да, можешь. — Лера дала ей мобильный телефон. — По нему позвонишь мне утром. От отеля «Сезон» в десять утра отъедет бежевый «Фольксваген-пассат». Я буду далеко. Но мне важно знать, кто поедет за этой машиной. Марка, цвет, номер, все важно. Сколько человек в машине.

— Это не проблема. Хорошо, сделаю.

— А ты машину достать сможешь?

— Без проблем. У хозяина возьму. Даже ствол достать могу.

— Ну, это лишнее. У нас целый арсенал. Оружие нам не понадобится. А ты сможешь Марика вывезти из города?

— На лодке по реке не трудно. До железнодорожного моста. А там по шпалам до следующей остановки. Он должен уехать.

— Это вам решать, — ответила Лера. — Тебе надо переодеться. Зайди в свой бар. Может, ваши вещи целы. Этот убийца уже туда не вернется.

— Уверены?

— Знаю наверняка.

— Тогда стоит заглянуть. Заодно и машину возьму.

Девушка забрала телефон и ушла.

* * *

Капитан посчитал, что дал достаточно времени Точилину на обдумывание. Он валялся в гамаке, растянутом в глубине сада, пока его местная подружка готовила ему ужин. Сегодня он отдыхал. Делами займемся завтра. Матвей был уверен в том, что найдет самоуверенного придурка, укравшего деньги. Он даже составил план действий. Сейчас в его жизни наступила полоса удач. Он должен выиграть схватку.

Он взял мобильник убитого Рюшкина и позвонил Точилину. Тот сразу его узнал по голосу.

— Я понял, что это вы звоните. Слушайте меня внимательно. Байчер решил мне добровольно отдать чемодан с деньгами. Разумное решение. Он хочет выжить, спокойно вернуться домой и продолжать жить без оглядки. Мы встречаемся с ним завтра. Я выезжаю из отеля в десять утра. Остальные инструкции получу в пути. Не сидите у меня на хвосте. Я поеду медленно. Они будут следить за мной. Мы должны встретиться без свидетелей. Думайте, как вам поступить. Если Байчер увидит постороннего, он ко мне не подойдет. Это его условие. Мы рискуем упустить шанс получить деньги. И еще. Если все получится, то я вам отдам половину только в обмен на записи Рюшкина и аудиозапись.

— Без проблем. Мне эта туфта не нужна.

— Тогда договорились.

Матвей облегченно вздохнул. Везуха так и прет ему в руки. Наконец-то он выберется из трясины нищеты.

* * *

Ничего подозрительного вокруг бара не происходило. Клава долго наблюдала за входом, потом решилась войти. Наконец собралась с духом и направилась к дверям. В ее наряде, да еще без макияжа и с пучком на затылке девушку никто не узнал. Она прошла на кухню, ни с кем не разговаривая. Может, кто-то ее и заметил, но останавливать не стал.

Повар, увидев ее, прослезился.

— Господи! Воробышек! Ты жива! Ну слава тебе, Господи!

— Вещи мои не забрали, дядя Коля?

— А на кой черт им вещи? Стрелка забрали. Тут слухи ходят, будто его хлопнули. Но это лишь слухи.

— Туда ему и дорога. Дай мне свою машину на пару дней.

Толстый, каким ему и положено быть, старый повар достал ключи из кармана и без лишних вопросов отдал их девушке.

— Ты бы не шустрила, Воробышек. Тут же дерьмовый народ тусуется.

— Я знаю, что делаю.

Он перекрестил ее, а она чмокнула его в щеку. На этом короткое свидание закончилось. Девушка хотела уйти, но он поймал ее за руку.

— Погоди. Вы же, поди, голодные. — Он взял большой пакет и накидал туда котлет, пирожков и всего, что попадалось под руку. Пакет пришлось брать двумя руками. С ним она и побежала в свою комнату. Ключ так и торчал в двери. Похоже, здесь никто не убирался. Постель разобрана, окровавленная подушка на месте, их одежда тоже не тронута. Клава достала спортивную сумку из-под кровати и покидала туда вещи, а сверху положила теплый пакет с едой.

Выйти она не успела. Дверь открылась, и появился немолодой мужчина в штатском. Он вошел с ключом и тут же запер за собой дверь на замок.

— Не суетись, девочка. И не вздумай прыгать в окно. Там тебя уже ждут. Я майор Котов из Юрмача. К тебе лично никаких претензий не имею. Но хочу знать, где ты спрятала мальчишку, сбежавшего с тобой? Вопрос несложный, но если ты на него не ответишь, сядешь в камеру для дозревания.

— Ничего я тебе не скажу, майор.

— Ты только не кипятись. Меня зовут Иван Федорович. Парня я обязан найти. А ты мой единственный ключик. Давай договариваться по-хорошему.

— Ты, дядя, не на ту нарвался. Со мной не договоришься.

Тут в номере раздался звонок городского телефона.

— Это он? — спросил Котов. — Уже беспокоится? Сними трубку.

Клава сама не ожидала услышать звонок. Ей сюда никто не звонил. Она даже номера телефона не знала, а Марик тем более.

Девушка сняла трубку и тихо спросила:

— Вам кого?

Потом посмотрела на полицейского и сказала:

— Это вас.

Котов достал наручники и, подойдя к девушке, пристегнул ее руку к железной спинке кровати, только после этого взял трубку:

— Кто говорит?

— Тот, кого ты ищешь, майор. А теперь слушай меня. Один из твоих людей оказался умнее всех вас. Он сумел выйти на след. Парень хочет получить деньги. Для себя, разумеется, а не для следствия. Это он застрелил управляющего Рюшкина, заставив его написать признание, которым теперь шантажирует Точилина. Я не знаю, кому достанутся деньги. Но парня своего ты сам сможешь допросить завтра, а бумаги, которые у него есть, отдашь в газеты. Пусть их напечатают. Уверяю тебя, что в полицейском управлении они затеряются навсегда. Это тебе мои рекомендации. А теперь посмотри на свою рубашку. Туда, где расположен левый карман.

Майор посмотрел и увидел красный светящийся кружок. Это был лазерный прицел. Лазерный луч проходил через открытое окно, вся крохотная комнатушка хорошо просматривалась. Тут не спрячешься, а дверь он запер и открыть не успеет. Снайпера он видеть не мог, но тот его отлично видел и держал на прицеле.

— Посмотрел? Картечь — очень опасная штука. Отпусти девушку и оставь всех в покое. Завтра ты получишь все, что тебе нужно. А на сегодня хватит.

Красный зайчик не сползал с рубашки, а в трубке раздались короткие гудки.

Котов расстегнул наручники и отдал девушке ключ от двери.

— Можешь проваливать.

— Спасибочки. Все же сумели договориться.

Ей никто больше не мешал. Она села в машину повара и повезла пирожки Марику.

9

Наступили третьи сутки с момента ограбления филиала банка «Восход» в придорожном городке Юрмач. Но теперь это уже не имело значения. Три дня на поиски денег дали управляющему Рюшкину. Но он погиб раньше срока. Уж слишком рьяно народ взялся за поиски жирного куша. И поисковиков собиралось все больше и больше. Событий тоже хватало. Байчер решил остановить процесс. Чем дальше в лес, тем больше дров. Ситуация осложнялась с каждым днем. Пора ставить точку.

Ровно в десять утра Игнат Точилин вышел из отеля «Сезон». Он уже проверил по карте дорогу. То, что его будет преследовать продажный мент, он знал и предупредил об этом Байчера. Но что делать с Фаиной? Место встречи ей известно. Она своего не упустит. Байчер нужен ей живым. Надеется выбить из него информацию. Опасная дамочка. От нее всего можно ожидать. Черт с ней. Важно получить деньги до ее появления на игровом поле.

Игнат сел в машину и завел двигатель. Мотор включил и Матвей, сидящий в «Шевроле» своей подружки. Но и это еще не все. В третьей машине сидела Клава. Она тоже времени не теряла. Итак, кортеж из трех автомобилей тронулся к северной дороге. Игнат знал, что за ним следят, и не оглядывался. Матвей об этом не думал и тоже не оглядывался по сторонам. И все держали дистанцию.

* * *

Чтобы попасть на свалку автомобилей, надо проехать через пролесок, а потом ты попадаешь на знаменитое поле, засыпанное грудами железа. Пролесок имел важное значение. Его ширина составляла не больше двух километров, и дорога, проходившая через него, была узкая и битая, на ней не разгонишься. Заброшенный завод ни у кого не вызывал интереса. За заводом был заросший пруд и стоял лес. Тупик. Вот почему эта дорога никем не контролировалась. По ней нельзя уйти из города. Объездов не существовало. Все эти обстоятельства играли на руку Байчеру. Пролесок взяла под свой контроль Лера. Сегодня она оделась в черный кожаный обтягивающий фигуру костюм, который сшила себе сама перед налетом на банк «Медетеран». Он был очень удобен. За спиной у нее висел небольшой рюкзачок с нужными ей вещами.

Лера нашла подгнившее дерево прямо возле дороги. Оно подходило для ее планов, потом залегла в кустах. Успех любой работы строился на слаженности и четкости в выполнении своих задач. Для Байчера не существовало мелочей. Он проверял все детали и прорабатывал возможные ситуации. Лера не могла подвести своего бывшего мужа, если он ей доверял. И почему бывшего? Она по-новому открыла этого человека. Ей казалось, будто он все еще ее любит. Она виновата перед ним. Надо лишь доказать ему, что она его тоже любит и второй брак стал заблуждением, ошибкой и просто глупостью. Он должен ее простить. Только бы выбраться из этого кошмарного болота.

Лера размечталась. Около девяти утра она услышала звук мотора и притаилась. Мимо нее проехала черная «Ауди». За рулем сидела женщина. Она ее узнала. Фаина Гурьева. Змея с большим опытом. Черная вдова, паучиха, пожирающая своих мужей. Ни один мужчина, попавший под ее чары, не остался в живых. Сегодня у дамочки выдался шанс. И она сделает все, чтобы его не упустить.

Точилин рассказал про мента, который решил его шантажировать, но о Фаине промолчал. Вероятно, она слышала их разговор и знает, где назначена встреча. Приехала заранее, чтобы осмотреться и выбрать выгодную позицию для атаки. Борис не ошибся, сделав такой вывод. И опять он оказался прав. И все же Байчер не стал брать с собой оружие. Воевать с такими врагами голыми руками полное безрассудство. Но спорить с ним бесполезно.

Затрещал мобильный телефон. Лера ответила.

— Это Клава говорит. Та, что была у вас вчера. Человек из отеля «Сезон» выехал ровно в десять. Едет на северную окраину. Его преследует бежевый «Шевроле». За рулем один мужчина лет тридцати пяти. Здоровый мужик с ментовской мордой. Держит дистанцию метров двести. Ближе не подъезжает.

— Хорошо. Спасибо, девочка. А теперь езжай на нашу квартиру, где ты была вчера. Ключ под ковриком. Сиди там и жди нашего звонка.

— Хорошо. Сегодня вечером я вывезу Марика из города по реке. Это самый надежный маршрут. Мои друзья уже сделали пробную ходку. Все чисто. Он уже чувствует себя нормально. Сказал, что хочет взять меня с собой в Москву.

— Я в этом не сомневалась. Если он тебе доверил наш адрес, значит, ты ему не безразлична. Я рада за тебя. Марик — отличный парень.

— Я тоже так думаю. Вот только мне не верится в свое счастье. С чего бы? Всю жизнь судьба мне палки в колеса вставляла, а тут вдруг...

Голос у девушки задрожал. Похоже, она заплакала.

— Удачи! — сказала Лера. — И держи хвост пистолетом.

Лера тоже прослезилась. Марик влюбился и позвал девушку с собой. А Борис пока никуда ее не звал. И позовет ли?

Через полчаса по дороге проехала машина Точилина. Он ехал один. Договоренности соблюдались. Все верно. На кону стояло пять миллионов.

Лера подошла к гнилому дереву, которое успела подпилить и всеми силами уперлась в ствол. Оно заскрипело и медленно повалилось на дорогу. Лера тут же отскочила в сторону и спряталась в кустарнике.

* * *

Матвей едва успел затормозить. Перед ним на дороге лежало дерево.

— Вот сволочь! — ругнулся он. — Это так ты хочешь от меня избавиться? Ну, я тебе покажу, гаденыш. Ты от меня никуда не денешься. Из этой ловушки нет выхода.

Ему и в голову не пришло, будто дерево мог повалить кто-то другой.

Он сдал назад, вышел из машины и подошел к препятствию. Ничего особенного. Дерево трухлявое и легкое. Матвей был человеком сильным и, уперев плечо в ствол, медленно, но успешно сдвинул его с проезжей части дороги в сторону. Немного вспотел, но помеху убрал. Вернувшись в машину, он сел за руль и поехал дальше. До конца пролеска других препятствий не встречалось. Так он добрался до бескрайнего поля. Здесь была совершенно прямая дорога. Он увидел машину Точилина. Она остановилась в километре от лесной черты, а банкир вышел из машины и курил, облокотившись на капот. Слишком далеко. Надо подъехать ближе.

Тут к затылку Матвея прикоснулся холодный ствол пистолета.

— Не торопись, приятель, — услышал он женский голос. — Я, не задумываясь, проделаю дырку в твоем черепе.

Машина была слишком тесной для резкого разворота. Нажать на курок можно в долю секунды, а на сопротивление нужно время.

— Чего ты хочешь? — спросил он со злостью.

— Того же, что и ты. Чемоданчик с деньгами. Вот только работать мы будем по моей схеме. А для начала ты мне отдашь свой пистолет. Медленно лезешь в кобуру под левой подмышкой и достаешь оружие двумя пальцами. И учти, красавчик, я в тебе не нуждаюсь. Мне для тебя пули не жалко.

Она права. Ей только спасибо скажут.

Он медленно достал свой пистолет, и баба ловко выхватила его, как птичка, клюнувшая мошку.

— А теперь, дружок, сворачивай с дороги и объезжай ряд сараев, что стоят по левой стороне, и поедем по полю, прижимаясь к постройкам. Так нас Точилин не увидит. Другие тоже нас не должны видеть. А теперь вперед.

Матвей скрипел зубами, но ничего сделать не мог. Но кто и как сумел его вычислить? Если его сдал Точилин, то зачем от него прятаться? Эта баба подсела в его машину, когда он расчищал дорогу. Все продумано и просчитано, а он, уверовав в свою счастливую звезду, потерял бдительность. Слишком хорошо все складывалось в последнее время. Рано начал почивать на лаврах. Хуже всего он переваривал свою беспомощность. В таком идиотском положении он оказался впервые и был к нему не готов, а потому не видел из него выхода.

— А теперь тормозни за тем сараем. Мы поравнялись с Точилиным.

Матвей остановился, но дорогу загораживал ангар и он не видел машину банкира.

— Мне что-то перепадет? — спросил он тихим осипшим голосом.

— Я посмотрю на твое поведение. А сейчас ты не должен мне мешать. Вынь ключи из зажигания и брось их назад.

Матвей подчинился.

— Теперь пристегнешь себя к рулю. Так будет надежней.

Женщина бросила ему наручники.

И опять он выполнил ее приказ.

Женщина вышла из машины, открыла дверцу водителя и приказала:

— Давай вторую руку.

Ствол пистолета смотрел ему в лоб. Она может сделать то, что он сделал с Рюшкиным. Выстрелить ему в висок, а потом снять наручники и исчезнуть. Чистое самоубийство. И все же он протянул ей трясущуюся руку. Она приковала ее к рулю второй парой наручников. Теперь он уже ничего сделать не мог, чувствуя себя парализованным.

Женщина его обыскала. Проверила удостоверение полицейского. Так в ее руках оказались признание Рюшкина и пленка с аудиозаписью их разговора. Все это она оставила на заднем сиденье. Затем достала фотоаппарат из своего рюкзака и скрылась за сараем.

Лера залегла за перевернутой кверху колесами машиной и приготовилась к съемке. Точилин продолжал стоять возле своей машины в нескольких метрах от нее. Банкир нервно курил и поглядывал на часы.

* * *

В небе раздался отдаленный звук моторов самолета. На горизонте появился допотопный кукурузник. Он летел очень низко. Фаина была поражена таким фокусом. Она специально обмазала свою новенькую «Ауди» грязью, чтобы та не отличалась от хлама, и загнала машину задом в небольшой пробел в горе металлолома. Когда самолет приблизился, Фаина прилегла на переднее сиденье, чтобы ее невозможно было заметить сквозь ветровое стекло. Самолет описал несколько кругов и пошел на посадку.

* * *

Точилин облегченно вздохнул. Все шло в соответствии с планом. Его смущала лишь десятая модель «Жигулей», стоящая в десяти метрах от его машины. Это не хлам, а нормальная машина на ходу. В ней никого не было. Кто-то на ней сюда приехал раньше его. По всей вероятности, Фаина. И теперь она где-то прячется. У этой бабы может быть оружие. И если это так, то она им воспользуется. Байчер нужен ей живым, но он, Точилин, ей вовсе не нужен ни в каком виде. Над этой проблемой Игнат думал всю ночь. Но как он мог себя подстраховать? Привлечь к операции полицию? Мог. Но тогда все знали бы, что Байчер вернул ему деньги. Весь его труд пошел бы коту под хвост. Столько сил и трудов он затратил на хитроумную операцию, и ради чего? Одно его утешало: Фаине его деньги не нужны, так же, как и Байчеру. У них свои счеты, и там речь идет о миллиардах. Будет ли она наживать себе ненужные неприятности из-за каких-то грошей? Вопрос скользкий и ответа не имел.

Байчер приземлился на дорогу, и самолет затормозил метрах в двухстах от машины банкира.

Из самолета вылез мужчина в голубом комбинезоне с железным чемоданчиком в руках. Он был перевязан ремнями. Точилин догадался, что воры сбили замки, иначе не знали бы, сколько там лежит денег. Подобрать шестизначный код почти невозможно.

Мужчина в комбинезоне шел быстро, но оглядывался по сторонам. Точилин начал узнавать в нем человека на фотографии в паспорте, который показывала ему Фаина. Это он, сомнений не оставалось.

— Ну, наконец-то, черт побери! — закричал Байчер, приближаясь. — Гора с плеч! Я бы выпил шампанского по такому случаю.

Подойдя, он поставил чемоданчик на землю и обнял банкира как потерянного брата. Потом стал его хлопать по плечам и снова обнимать.

Лера тем временем делала снимки, когда Борис оказывался к ней спиной, а Точилин лицом.

Фаина стиснула зубы. Пора. Они ее разыграли. Байчер и Точилин в одной упряжке. Через пару минут они окажутся в самолете, а она останется ни с чем.

Женщина включила зажигание и выжала педаль газа. Такого зрелища еще никто не видел. Одна машина резко отделилась от общей груды и понеслась по дороге. Байчер увидел ее первый и, не думая о чемодане, резко отскочил в сторону. Банкир отскочить не успел. Машина на большой скорости врезалась в него. Мужчину подбросило вверх метра на три, и он, как тряпичная кукла, рухнул на землю. Фаина проскочила дальше метров на тридцать и резко развернулась. Ей пришлось включить дворники, все стекло было забрызгано кровью.

Байчер бросился к стоящей у обочины «десятке». Ключи торчали в замке зажигания, но пристегнуться ремнями безопасности он не успел. Тяжелая и мощная «Ауди» шла на таран. Он едва успел отъехать в сторону, но машина смяла его багажник и развернула «десятку». До самолета двести метров, но она не даст ему пересесть. Лобовое столкновение приведет к плачевным результатам. С тем же успехом можно атаковать танк или стену. «Ауди» вновь начала разгон. Разворачиваться поздно. Он понимал, что она делает, надо смягчить удар. Борис включил заднюю передачу и ударил по газам. Машина рванулась назад. Не тут-то было. Соревноваться с иномаркой такого класса бесполезно. Он уперся спиной в сиденье, а руками — в рулевое колесо, чтобы от удара его не выбросило через ветровое стекло. От неизбежного не уйти. Удар получился сильнее, чем это ожидалось.

Фаина первой пришла в себя. На какое-то мгновение и она потеряла сознание. Ее машина не очень пострадала, а у «десятки» мотор въехал в салон. Байчер с окровавленным лицом находился без сознания. Она достала пистолет, отстегнулась и вышла из машины.

Женщина осторожно подошла к машине соперника. Борис медленно приходил в себя. Главное, что он жив. Остальное значения не имело.

— Ну что, умник? Поединок закончен.

— Кажется, у меня сломана нога.

— Хорошо, что не шея. Я тебя довезу до места в целости и сохранности. У нас есть о чем поговорить.

— Твоя взяла. Я тебе сдам архив, если ты меня не сдашь ФСБ.

— Я подумаю.

Она его обыскала, но оружия не нашла. В кармане лежали еще одни ключи от машины.

— Запасливый. Где вторая тачка?

— А ты думаешь, я этому болвану собирался деньги отдать?

Фаина нахмурила брови. Чемодан так и стоял на земле возле машины банкира в трех метрах от столкновения. Она подошла к нему, сорвала ремни и откинула крышку. В чемоданчике лежало два кирпича. Обычных строительных и грязных.

— Ну ты химик, Байчер. На кой черт тебе деньги?

— Хотел отдать их истинному владельцу. Хозяин денег полковник Рогозин. Это он заправляет наркобизнесом. С такими людьми лучше не ссориться.

— Тут ты прав. Лучше иметь в нем союзника, чем врага. Но деньги ему могу передать и я. Мне сейчас нужна поддержка полиции.

— Не возражаю. Ты можешь это сделать. Во всяком случае, не украдешь. С архивом на руках заработаешь намного больше и достаточно быстро. Какие гарантии ты дашь мне?

— Ты не в том положении, чтобы ставить мне условия. Я же обещала подумать.

— Ладно, думай. Голубой «Форд» в следующей куче. Деньги в багажнике.

Фаина подбросила ключи, поймала их и направилась к «Форду», покачивая бедрами. Но пистолет все еще держала в руках. Впрочем, она понимала, что Байчер не успеет добежать до самолета, даже если у него обе ноги здоровые. Пуля его догонит.

Фаина открыла багажник и увидела второй чемоданчик. Он был не заперт. Она откинула крышку. К сожалению, тут тоже не оказалось денег. В нем лежало что-то непонятное с проводами и мигающей красной лампочкой. Когда она сообразила, было уже поздно. Раздался оглушительный взрыв. От Фаины осталось мокрое место, а машина вспыхнула.

Взрывной волной выбило ветровое стекло «десятки», чудом уцелевшее после столкновения. Байчер поднялся с сиденья, на которое лег. Он достал платок и вытер лицо от красной краски, после чего плечом выбил дверь машины. В багажнике лежало несколько пачек из общей кучи украденных купюр. Он взял деньги и, подойдя к горящей машине, рассыпал их. Некоторые сгорели, другие обгорели, а основная масса упала веером на землю и уцелела.

* * *

Лера появилась на дороге и сделала несколько снимков горящей машины и рассыпанных денег. Потом отнесла фотоаппарат в машину капитана, положив его на заднее сиденье. Туда же бросила конверт с чем-то непонятным.

— Что там взорвалось? — спросил беспомощный Матвей.

— Пофантазируй, капитан. Тебе надо развивать фантазию. Скоро сюда приедут твои коллеги и тебе придется оправдываться. А я с тобой прощаюсь. Вряд ли мы увидимся. Так уж карты легли.

Лера ушла, оставив мужика прикованным к рулю.

* * *

Они неторопливо вернулись к самолету и забрались в него. Кошмарная история осталась позади. Байчер набрал телефон майора Котова.

— Я обещал позвонить. Докладываю. Вы готовы?

— Я сижу в машине и готов к выезду.

— Заброшенный металлообрабатывающий завод в тридцати километрах к северу. Там автосвалка. За двенадцатым сараем вдоль дороги вас ждет капитан Горбатько. На заднем сиденье лежит фотоаппарат с уникальными кадрами, говорящими о сговоре Точилина с грабителями. Они задушевные друзья.

Там же показания покойного Рюшкина и аудиокассета с его допросом. В конверте найдете статью о связи наркомафии с финансовыми кругами. Под статьей можете поставить свою подпись. После этого управление полиции вас с почетом отправит на заслуженную пенсию, а главари наркоклана не посмеют вас тронуть. Статья и фоторяд сделают вас знаменитостью, и о вас узнают в Москве. Что делать с продажным капитаном, пусть решает суд. За его плечами убийство. Это все, майор. Удачи.

Ответа он ждать не стал и оборвал связь, после чего перезвонил девушке.

— Привет, Клава. Ты в порядке?

— Нервничаю. Марик же без присмотра. Ждет меня. А как у вас?

— Схема сработала. А иначе и быть не могло. Ждем вас в Москве. Но сначала загляни под половичок у кровати, а потом езжай к Марику.

Борис убрал телефон в карман.

— Ну что, взлетаем?

— Пора уже. Домой хочу. Устала я от этой суеты.

— Лодку жалко. Самый сезон. Покатались бы по Клязьме.

— Покатались бы? Ты думаешь, я поеду к тебе на дачу? Размечтался.

В Лере всегда жил дух противоречия. Нелегко уживаться с таким характером.

— Не хочешь, так я и один скучать не буду. Дело хозяйское.

— Хочу, черт бы тебя подрал. Очень хочу!

— Вот так-то лучше.

Борис завел двигатель. Теперь разговаривать при таком шуме не имело смысла, они не слышали друг друга, но у Леры все еще шевелились губы.

* * *

Под половиком находился тайник. Одна доска была не прибита. Клава ее вынула. Под ней лежал черный целлофановый пакет. Она его достала и вытряхнула. Весь пол покрылся пачками денег. Это была валюта. Девушка даже во сне не видела ничего подобного.

Сверху лежал клочок бумаги. На нем был написан вопрос и Клава не знала, кому на него ответить.

«На свадьбу хватит?»